中　卷 | 宋辽金元

诗外文章

文学、历史、哲学的对话

著 | 王充闾

人民文学出版社

中卷·目录

宋 代

史眼 ·· 3
　　李九龄　读《三国志》
与邻为善 ·· 5
　　杨玢　批子弟理旧居状
忌巧 ·· 7
　　杨朴　七夕
忧患偏于顺境多 ································· 9
　　遇贤　杂诗
换位思考 ··· 11
　　杨亿　咏傀儡
状难写之景 ······································ 13
　　司马池　行色
捕鱼人与吃鱼人 ······························· 15
　　范仲淹　江上渔者
推己及人 ··· 17
　　范仲淹　淮上遇风三首(选一)
谁是"收人" ···································· 19

　　　　范仲淹　书扇示门人
正气歌 …………………………………………… 21
　　　　包拯　书端州郡斋壁
外因是条件 ……………………………………… 23
　　　　梅尧臣　使风船
让千里马跑起来 ………………………………… 25
　　　　梅尧臣　伤骥
自由颂 …………………………………………… 27
　　　　欧阳修　画眉鸟
花山叹 …………………………………………… 29
　　　　苏舜钦　题花山寺壁
寒操劲节 ………………………………………… 31
　　　　韩琦　小桧
巧喻 ……………………………………………… 33
　　　　李觏　闻莺
名花之累 ………………………………………… 35
　　　　王淇　梅
血泪控诉 ………………………………………… 37
　　　　张俞　蚕妇
风月情怀 ………………………………………… 39
　　　　邵雍　清夜吟
灵明境界 ………………………………………… 41
　　　　邵雍　天津感事吟
花之妙 …………………………………………… 43
　　　　邵雍　善赏花吟
贬柳 ……………………………………………… 45
　　　　曾巩　咏柳

瞬息千秋 ··· 47
  司马光　瞑目
寿有差等 ··· 50
  吕南公　勿愿寿
登高望远 ··· 52
  王安石　登飞来峰
史影苍茫 ··· 54
  王安石　读史
雪舞东风不染尘 ··· 56
  王安石　北陂杏花
一言为宝 ··· 58
  王安石　诸葛武侯
垂戒千秋 ··· 61
  王安石　辱井
为醉生梦死者写照 ······································ 63
  王安石　鱼儿
平中见奇 ··· 65
  王安石　题张司业诗
游戏之道 ··· 67
  王安石　棋
机心机事不相干 ··· 69
  王安石　赐也
逝者如斯 ··· 71
  王安石　松江
杂着泪痕的谐谑 ··· 73
  刘攽　自古
来时路 ·· 76

    守端 蝇子透窗偈

莫失本我 …………………………………………… 78
    张舜民 百舌

雪泥鸿爪 …………………………………………… 80
    苏轼 和子由渑池怀旧

视角的选择 ………………………………………… 83
    苏轼 题西林壁

主客二分 …………………………………………… 85
    苏轼 琴诗

履险如夷 …………………………………………… 87
    苏轼 慈湖夹阻风（选一）

持盈保泰 …………………………………………… 89
    苏轼 骊山三绝句（选一）

一饱足矣 …………………………………………… 91
    苏轼 撷菜

自己构成自己 ……………………………………… 92
    苏轼 野人庐

式微,式微,胡不归? ……………………………… 94
    苏轼 山村五绝（之五）

人有悲欢离合 ……………………………………… 97
    苏轼 中秋月

原来不过如此 ……………………………………… 99
    苏轼 观潮

事在人为一解 ……………………………………… 101
    方惟深 滟滪堆

事在人为二解 ……………………………………… 103
    孔武仲 直舍新辟西窗二首（选一）

托物寄讽 …………………………………………………… 105
  道潜　绝句

实用人才秉至公 ………………………………………… 107
  黄庭坚　病起荆江亭即事十首(选一)

旁观者的洞察 …………………………………………… 109
  黄庭坚　牧童

人到愁来 ………………………………………………… 111
  黄庭坚　和陈君仪读《太真外传》五首(选一)

凉蝉好句幕中吟 ………………………………………… 113
  陆蒙老　咏蝉

各得其时 ………………………………………………… 115
  秦观　三月晦日偶题

愤激之言 ………………………………………………… 117
  李唐　题画

大味必淡 ………………………………………………… 119
  刘延世　自题墨竹

他乡怕见月华明 ………………………………………… 121
  张耒　自上元后闲作五首(选一)

好怀不易开 ……………………………………………… 123
  陈师道　绝句四首(之四)

从早安排 ………………………………………………… 125
  陈师道　放歌行二首(选一)

逢遇 ……………………………………………………… 127
  陈师道　和邢惇夫诗(二首之一)

诗有悟门 ………………………………………………… 129
  吴可　学诗三首(选一)

失败英雄的颂歌 ………………………………………… 131

李清照　夏日绝句

当头棒喝 ……………………………………………… 133
　　　冲邈　翠微山居

遗貌取神 ……………………………………………… 135
　　　陈与义　水墨梅(五首选一)

江郎才尽 ……………………………………………… 137
　　　姚宏　梦笔驿

细柳情 ………………………………………………… 139
　　　董颖　江上

阳关别调 ……………………………………………… 141
　　　陈刚中　阳关词

书生议政 ……………………………………………… 143
　　　刘子翚　汴京纪事二十首(其七)

断肠分水各题诗 ……………………………………… 145
　　　黄公度　过分水岭

古树寄情 ……………………………………………… 147
　　　龚茂良　咏老木

槿花多义 ……………………………………………… 149
　　　绍隆　槿花

梅之问 ………………………………………………… 151
　　　陆游　梅花绝句(二首选一)

梅之赞 ………………………………………………… 153
　　　陆游　落梅二首(选一)

梅之嘱 ………………………………………………… 155
　　　陆游　梅花(六首选一)

善读"无字之书" ……………………………………… 157
　　　陆游　冬夜读书示子聿(八首选一)

为海棠鸣不平 ·· 159
  陆游　海棠二首(选一)

读史写史者戒 ·· 161
  陆游　读史

廉而后可 ·· 163
  陆游　书室名"可斋",或问其义,作此以告之

逍遥阅世 ·· 165
  陆游　一壶歌

净洗尘襟 ·· 167
  陆游　排闷(六首选一)

成功原非偶然 ·· 169
  陆游　能仁院前有石像丈余,盖作大像时样也

凿破鸿蒙 ·· 171
  陆游　读《易》

过来人的开悟 ·· 173
  陆游　秋晚思梁益旧游(三首之二)

诗堪警世 ·· 175
  范成大　蛮

祸莫大于不知足 ·· 177
  范成大　偶事

此心安处 ·· 179
  范成大　题钓台

怎一个"愁"字了得 ·· 181
  范成大　江上

生死观的诗性表达 ·· 183
  范成大　重九日行营寿藏之地

可贵的发现 ·· 186

　　　　杨万里　小池
山行的辩证法························188
　　　　杨万里　过松源晨炊漆公店六首（其五）
一室不扫　何谈天下····················190
　　　　杨万里　读《陈蕃传》
醉中忘却来时路······················192
　　　　杨万里　道旁小憩观物化
处变不惊··························194
　　　　杨万里　闷歌行（十二首选一）
为聚敛者画像·······················196
　　　　杨万里　观蚁（二首选一）
"大意失荆州"······················198
　　　　杨万里　下横山滩头望金华山
好诗不过近人情······················200
　　　　杨万里　分宜逆旅逢同郡客子
织妇之苦·························202
　　　　杨万里　促织
这里就是罗陀斯······················204
　　　　杨万里　宿灵鹫禅寺
迁怒秋雨·························206
　　　　杨万里　秋雨叹十解（之十）
江湖味　故乡情······················208
　　　　姜夔　湖上寓居杂咏（十四首之一）
青山依旧在························210
　　　　朱熹　水口行舟
补益新知·························212
　　　　朱熹　观书有感二首（其一）

从容妙悟 …………………………………………… 214
　　朱熹　观书有感二首(其二)

寸阴是竞 …………………………………………… 216
　　朱熹　偶成

寻源之悟 …………………………………………… 218
　　朱熹　偶题三首(之三)

恨无知音赏 ………………………………………… 220
　　朱熹　壁间古画精绝未闻有赏音者

涵泳工夫 …………………………………………… 222
　　陆九渊　读书

甘瓜苦蒂　物无全美 ……………………………… 224
　　戴复古　寄兴

诗文最忌随人后 …………………………………… 226
　　戴复古　论诗十绝(选一)

知机 ………………………………………………… 228
　　戴复古　黄雀

上竿难 ……………………………………………… 230
　　曹豳　咏缘竿伎

好花看到半开时 …………………………………… 232
　　刘克庄　再和熊主簿梅花十绝(选一)

挑得诗囊 …………………………………………… 234
　　刘克庄　乍归九首(选一)

文章憎命达 ………………………………………… 236
　　刘克庄　再赠钱道人

茅檐方是安巢地 …………………………………… 238
　　刘克庄　燕

官场中的"恐高症" ………………………………… 240

李宗勉　登六和塔

旧意新翻寄柳枝 …………………………………… 242
　　朱继芳　柳

材大难为用 ………………………………………… 244
　　居简　盆荷

是非之心 人皆有之 ………………………………… 246
　　定诸　咏鹦鹉

珍重未圆时 ………………………………………… 248
　　林一龙　十四夜观月

枉劳心 ……………………………………………… 250
　　葛天民　绝句

月映寒梅 …………………………………………… 252
　　杜耒　寒夜

人生境界 …………………………………………… 254
　　罗与之　看叶

贫户无春 …………………………………………… 256
　　罗与之　商歌

莫怨西风 …………………………………………… 258
　　汪若楫　青山

陶然忘机 …………………………………………… 260
　　黄庚　池荷

戕虚 ………………………………………………… 262
　　无名氏　题壁

一失足成千古恨 …………………………………… 264
　　无名氏　油污衣

辽金元代

诗文长在 …………………………………………… 269

耶律弘基　题李俨黄菊赋

膏火自煎 …………………………………………… 271
　　秦略　麝香

纯任自然 …………………………………………… 273
　　刘中　龙门石佛

世乱莫还乡　还乡须断肠 …………………………… 275
　　王若虚　还家五首(其一、其五)

大处着眼 …………………………………………… 277
　　李纯甫　杂诗

见得真　道得出 ……………………………………… 279
　　元好问　论诗三十首(选一)

不度金针 …………………………………………… 281
　　元好问　论诗三首(选一)

冷眼观世 …………………………………………… 283
　　元好问　杂著九首(之八)

爱惜芳心 …………………………………………… 285
　　元好问　同儿辈赋未开海棠(二首选一)

勿忘身后的黄鹂 …………………………………… 287
　　李通玄　叹害人者人害

双重哀悯 …………………………………………… 289
　　聂碧窗　哀被掳妇

古代宇宙观 ………………………………………… 291
　　王旭　杂兴(之一)

清音独远 …………………………………………… 293
　　范梈　以琼扇一握奉至黄明府

于足情深 …………………………………………… 295
　　法昭　兄弟(二首)

嬉笑怒骂 …………………………………………………… 297
　　佚名　嘲伯颜太师
笔底春光 …………………………………………………… 299
　　王冕　白梅
乾坤清气得来难 …………………………………………… 301
　　王冕　墨梅
书生本色 …………………………………………………… 303
　　吕思诚　戏题
残缺之美 …………………………………………………… 305
　　刘立雪　月岩
公道自在人心 ……………………………………………… 307
　　佚名　贾鲁治河

宋代

史 眼

读《三国志》

李九龄①

有国由来在得贤,莫言兴废是循环。
武侯星落周瑜死,平蜀降吴似等闲。

这是一首记述读书心得的诗。《三国志》,是晋代史学家陈寿撰著的记述魏、蜀、吴三国史事的史书。

全诗纯是议论,开篇就讲:治理国家的关键在于任用贤才,不能说国家兴废是周而复始的循环运动,如后人所概括的"分久必合,合久必分"。接下来就用史实来确证"有国由来在得贤"这一结论性认识。作者说:如果不信,那就请看:三国时期,蜀国的杰出政治家、军事家诸葛亮(武侯),吴国的著名统帅周瑜,他们一死,北魏灭掉西蜀,西晋灭掉东吴,就成为十分容易的事了。

寥寥二十八字,鲜明地讲述了两个重要的历史观点,充分地体现出作者高明的史识、独到的史眼:

一是,治国理政,必须任用德才兼备、有智谋、有远见的杰出人

---

① 李九龄,唐末进士,宋乾德年间再中进士,官至参知政事,前后在相位七年。

才,古人称为"选贤任能"。这里强调了人的因素,特别是贤才在兴邦治国中的重要作用。当然,同时也应该指出,人的因素并非仅仅表现为少数英杰贤俊的历史作用,他们应该能够顺应历史潮流的发展,形成推动社会历史前进的合力,这样才能充分发挥其应有的作用。

二是,国家盛衰、王朝兴替、社会变迁,并非遵循所谓"历史循环论"——认为人类社会的发展过程周而复始地经历同样阶段的理论。具有代表性的是战国末期邹衍提出的"五德终始说"(历史变化是土德、木德、金德、火德、水德的相继更替,周而复始循环的结果);汉代史学家司马迁也说过:"三王之道若循环,周而复始。"诗中批驳了这种带有历史唯心主义色彩的论点。

与邻为善

批子弟理旧居状

杨玢①

四邻侵我我从伊,毕竟须思未有时。
试上含元殿基望,秋风秋草正离离。

杨玢旧居被邻居侵占,子弟们欲诉诸官府,拟好纸状送给他,请他出面干预,他却写诗加以阻止,教育子弟放开视野,从历史的高度来看待现实中的得失、弃取问题,处理好同邻里的关系。

诗中说,四邻侵占我们的房产,那就让他们去侵占好了,毕竟要想想当初未曾置办这些房产之时。如果你们还想不通,不妨到唐代大明宫正殿含元殿的殿基上望一望,当年作为长安城的标志性建筑,该是何等繁华富丽,而今早已烟消云散,只剩下秋风萧瑟,荒草离离。所以,立身行事,还是能让则让,不必过分计较得失;世事无常,繁华易逝,拥有再多又能怎样?子弟读诗后,遂打消了上告官府的念头。

与杨玢相对应的,是明代的杨翥。清·梁绍壬《两般秋雨盦随笔》记载:"杨尚书翥住宅旁地,为人所占一二尺。或以告公,公作诗

---

① 杨玢,曾仕前蜀,后归宋,官至工部尚书。

云:'余地无多莫较量,一条分作两家墙。普天之下皆王土,再过些儿也无妨。'"占地者读诗愧服。"普天之下皆王土",出自《诗经·小雅》,原文为"普天之下,莫非王土。率土之滨,莫非王臣"。《左传》、《孟子》都曾引用过。明人王锜《寓圃杂记》中说,杨翥"笃行不欺,仁厚绝俗,善处人所不堪"。他做修撰时住在京城,邻家丢了一只鸡,便骂是姓杨的偷去了。家人告诉杨翥,杨说:又不是我们一家姓杨,管那做啥! 又一邻居,每逢雨天,便将自家院子里的积水排放到杨翥院中。家人告知杨翥,他却劝解家人:总是晴天日多,落雨日少。邻人年近六十生子,珍爱异常,唯恐杨翥所乘驴鸣惊吓着他,杨翥听说后,便主动将驴卖掉,步行上朝。

真是无巧不成书,清代也有一位尚书,同样深明大义,气度宽宏。据《桐城县志》记载,康熙年间,礼部尚书张英老家,与比邻叶家因宅基问题发生了争执。两家大院的宅地,都是祖上传下来的产业,时间久远了,本来就是一笔糊涂账。这样,争执起来,相持不下,谁也不肯退让,以致纠纷越闹越大,张家人便把这件事禀告了张英,让他出面说话,把叶家"摆平"。张英见信,莞然一笑,当即挥毫写诗一首:"千里家书只为墙,让他三尺又何妨。长城万里今犹在,不见当年秦始皇。"交给来人,让他从速带回,遵照处理。家人不敢违拗,只好遵命将垣墙拆除,向后退让三尺。这一宽容忍让的行为,使邻居一家深受感动,便也照样把围墙向后退出三尺。这样,争端很快就平息了,从此,两家之间留出一条六尺宽的巷子,名为"六尺巷",遐迩驰名,传为佳话。

忌 巧

七夕

杨朴①

未会牵牛意若何,须邀织女弄金梭。
年年乞与人间巧,不道人间巧已多。

诗中涉及两个古代神话传说:古籍《述异记》载:天帝之女,年年劳役,织成精美的衣物,辛苦殊无欢悦,天帝怜其独处,嫁与河西牛郎为妻,自此即废织工,贪欢不归。帝怒,责归河东,一年一度相会。《荆楚岁时记》载:七夕,妇女结彩线穿七孔针,陈瓜果于庭中以乞巧。后来又把乞巧同织女联结起来,说是向织女星乞求智巧。

诗人以七夕节的乞巧风俗立意,通过巧妙设问,展开主题,并自给答案。说,真弄不明白牛郎是怎么想的,非要邀请织女来穿梭织布。这样一来,人世间便年复一年地向织女星穿针乞求智巧。殊不知,人世间的机谋奸巧已经够多了。

这是一首妙趣横生的哲理诗。在这里,"巧"字双关——民间穿针乞求的原是生活智慧,心灵手巧;而人世间所患的是权谋、奸诈、机

---

① 杨朴(921—1003),宋初布衣诗人。天性恬淡孤僻,不愿做官,终生隐居农村。

巧。诗人巧妙地把二者连缀在一起,用以讽喻世情,针砭时弊。

后来的胡仔咏《七夕》诗,亦有类似意蕴:"乞巧筵前玉露秋,一钩凉月挂西楼。人间百巧方无奈,寄语天孙好罢休。"天孙,即织女。相比较看,还是杨朴的诗略胜一筹。是他,首先以牛郎、织女七夕鹊桥相会的神话传说为发端,又同穿针乞巧的民俗挂起钩来,进而别出心裁地表达了作者独到而又深刻的见解。

关于巧拙问题,宋代理学开山祖师周敦颐写过一篇著名的《拙赋》:"或谓予曰:'人谓子拙。'予曰:'巧,窃所耻也,且患世多巧也。'喜而赋之。曰:巧者言,拙者默;巧者劳,拙者逸;巧者贼,拙者德;巧者凶,拙者吉。呜呼!天下拙,刑政彻。上安下顺,风清弊绝。"今天以辩证观点来分析,巧与拙都具有两重性:巧有其心灵手巧、聪明能干的一面;可是,巧也有其不诚实的一面,孔子说:"巧言令色,鲜矣仁。"生活语言中,"占奸取巧""花言巧语""巧取豪夺"等,不一而足。同样,拙有朴实、真诚、厚道的一面,有时,也和愚拙、拙劣联系在一起。周敦颐的《拙赋》中,巧专取其诈伪、尖滑之义;而拙,则取其真诚、质朴、实事求是的意蕴。所论对于正风励俗、弘扬正气是有意义的。

忧患偏于顺境多

杂诗

遇贤①

扬子江头浪最深,行人到此尽沉吟。
他时若向无波处,还似有波时用心。

诗人说,经过波深浪恶、风涛滚滚的扬子江头,行人总是沉吟不决,认真考虑,慎重对待。这是非常必要的。只是希望,将来到了风平浪静、波澜不兴的地方,也都能像在情况险恶的扬子江头那样,仔细、小心。言浅意深,颇富哲理。

清代诗人袁枚有《小心坡》五绝:"险极坡难过,小心各自持。劝君平地上,还似过坡时!"与此意蕴相同。诗中说,由于坡上十分惊险,很难通过,所以人人备加小心。在这种情况下,出现事故的倒不多。但在平地上,人们往往掉以轻心,结果颠扑倾覆者时或有之。上古经典《尧戒》曰:"颤颤栗栗,日谨一日,人莫踬于山,而踬于垤(小土丘)。"信哉斯言。

其实,何尝只是行路,对于料理人生、处置世事,诗中意蕴同样也

---

① 遇贤(922—1009),宋代禅僧。性嗜酒,人称林酒仙。好赋诗,虽多俗语,中含理致。

有借鉴意义。"忧患偏于顺境多",这句话似乎有悖常理、常情,可它偏偏竟是屡见不鲜的事实。明儒高攀龙有言:"人生处顺境好过,却险;处逆境难过,却稳。"诗文互相印证,都是警告安不忘危,乐不忘忧,谨慎自持,自觉增强忧患意识。

  凭借现存有限的资料,我们不妨揣测,遇贤是一位隐于禅、隐于酒的特立独行、很有个性的有识之士。其传世之作《示遗偈》,亦颇为警策:"世人休说路行难,鸟道羊肠咫尺间。珍重苎溪溪畔水,汝归沧海我归山。"

换位思考

咏傀儡

杨亿①

鲍老当筵笑郭郎,笑他舞袖太郎当。
若教鲍老当筵舞,转更郎当舞袖长。

这是一首借吟咏戏剧中的傀儡角色来讥讽世态人情的理趣诗。

鲍老,是宋代戏剧舞队中一个引人笑乐的角色,出场时光着脚,提着大铜锣,随身步舞而进退。郭郎,是戏剧角色中的丑角,即戏中的傀儡,秃发,善于调笑。诗中说,鲍老、郭郎不过是傀儡戏中的角色,郎当(衣裳肥大,不合体)还是利落,都取决于幕后人的牵线操纵,戏中角色是身不由己、无可奈何的。正是因为他的一切都是受人牵引,所以,鲍老你也不必讥笑郭郎如何不利落、不潇洒了。假若你不相信,那就不妨调换一下位置,由你鲍老前去登场表演,那么,我敢说,你的舞袖会比郭郎更为郎当的。

诗句语虽俚俗,寓意却很深邃。诗人看着那引人发笑的丑角,以一种同情、理解的语调,说出蕴藏着哲思理蕴的幽默话语,令人于一

---

① 杨亿(974—1020),字大年。十一岁获授秘书省正字;二十一岁进士及第。北宋文学家,西昆体诗歌主要作家,辞藻华丽。

阵轻松发笑之后,陷入沉思,有所领悟。这里讲了两层意蕴:一层是,凡事要揆情度理,讲求实际,傀儡行为非由自主,对它无须加以苛求;另一层意蕴尤为深刻——假如换个位置看看,由你鲍老登场表演,那你的舞袖会比郭郎更郎当的,这是从设身处地、换位思考的角度来说的。明初诗人瞿佑《看灯词》中发抒的感慨大致类此:"傀儡妆成出教坊,彩旗前引两三行。郭郎鲍老休相笑,毕竟何人舞袖长。"引申开去,现在许多场合,诸如,从政者的前任、后任之间,台上、台下之间,新人、旧人之间,经常听到种种挑剔、责难。许多情况下,正是缺乏这种换位思考、设身处地所致。

状难写之景

行色

司马池①

冷于陂水淡于秋,远陌初穷到渡头。
赖是丹青不能画,画成应遣一生愁。

"行色"二字,语出《庄子·盗跖》篇:"车马有行色。"诗人以"行色"为题,意在状写其出行所见情景及独特感受。司马光在其诗话中写道:"先公监安丰酒税,尝有《行色》诗云……岂非状难写之景也!"意甚赞之。安丰在安徽寿县,有大水塘芍陂,渡口上行人如织,熙来攘往,诗人看得多了,意有所感,遂有此作。

诗人说,行人的心境与神色,比那池塘里的水还要清冷、凄楚,淡漠得简直像凉秋一样。而前方的旅程总是无穷无尽,才走完漫长的陆路,又匆匆赶到渡头,准备跨上行舟。其情其境,分外艰难,幸亏("赖是")丹青无法描画,否则,若是真的把它画成图像,那会让人一生一世都充满忧愁的。诗人这么说,是以形式上的否定,来肯定羁旅行愁之重、关河渡越之难。简单两句中,蕴含了形式与内涵、否定与

---

① 司马池(980—1041),司马光之父。宋景德年间进士。

肯定、相反与相成的理趣，给读者留下驰骋想象的空间，具见其构思之妙。

说是"不能画"，诗人却以其生花妙笔形象地描绘出商旅行人的心境与神色。开头用"冷于陂水淡于秋"七个字，对行人脸色、神情作形象的刻画，把无可捉摸的"行色"形象化了，具体化了，化虚为实，如感如见。司马光之所以赞许其"状难写之景"，正以此也。

南北朝与唐代诗人，吟咏古乐府旧题《行路难》者颇多，就中以李白的几首最为出色，但里面都没有提到"行色"一词。最早把它纳入诗中，且为近体，当始于杜甫："行色递隐见（现），人烟时有无。仆夫穿竹语，稚子入云呼。"相继的有岑参的"双凫出未央，千里过河阳。马带新行色，衣闻旧御香"、韦应物的"游子欲言去，浮云那得知。偏能见行色，自是独伤离"，再后，还有南唐冯延巳的词句："芦花千里霜月白，伤行色，来朝便是关山隔。"不过，传播得最广、最为后世诗人所称道的还是司马池的这首七绝，堪称是近体的《行路难》。宋代诗人张耒盛赞此诗说："梅圣俞尝言：'诗之工者，写难状之景，如在目前；含不尽之意，见于言外。'此诗有焉。"近代学者陈衍评曰："有神无迹。然其章法却极易拿捏，不外一二句描摹，三四句抒情，唯于衔接处了无缝隙，此亦诗人见功夫处。"

作为感怀、即兴诗，《行色》这首七绝还有一个特点，就是它与那些叙事诗、说理诗不同，无法向人讲述。记得当代诗人于坚说过这样一段话："诗是不能讲述的，不能说有一首诗，它讲了什么什么，所以有多么多么好。一首诗就是诗人所创造的一个场，必须由读者自己进入，置身其间，才能真正感受和判断"；"好诗是建立在现实基础上的真实，是直觉与理解、情感与思维、意识和无意识相互交融，恰如其分传递内心体验的意境"。

捕鱼人与吃鱼人

江上渔者

范仲淹①

江上往来人,但爱鲈鱼美。
君看一叶舟,出没风波里。

诗中说,来往江上的人,没有不称赞鲈鱼味道鲜美的;可是,又有几个人知道捕得鲈鱼是多么不易呀!应该说,那是渔人用生命换来的。看那江上,风波簸荡,浪涛汹涌,渔人驾着一叶扁舟出没其间,随时都有生命危险啊!

诗的更深一层意蕴,在于揭示创造财富的人鹑衣白结,食不果腹,而坐享其成者粱米千仓、良田万顷这一极端不合理的社会现象。同《诗经》中的"不稼不穑,胡取禾三百廛兮"、唐人李绅的"四海无闲田,农夫犹饿死"、宋人梅尧臣的"陶尽门前土,屋上无片瓦。十指不沾泥,鳞鳞居大厦"一样,范仲淹的几句诗,也是发出了愤慨的不平之鸣。

说起范仲淹,读者会想到古文名篇《岳阳楼记》,头脑里立刻涌

---

① 范仲淹(989—1052),政治家、军事家、文学家。宋祥符年间进士。不仅政绩卓著,文学成就也很突出,其诗内容厚重,颇多寄托怀抱之作。

现出"先天下之忧而忧,后天下之乐而乐"的感人佳句。把这一诗一文结合起来看,其文品与人品、言论与行为,是完全统一的。当然,不止范氏一人,其他像韩琦、司马光等,也是如此,他们活跃在北宋诗坛上,形成一种特有的"名臣诗人"现象,"在新的时代精神与审美理想的感召与融契之中,对诗歌艺术作出较为显著的成就"(当代学者许总语)。

本诗精彩之处:就意蕴说,以少少许胜多多许。言近而旨远,言浅而意深,寥寥二十个字,含有十分丰富的意蕴。诗人把捕鱼人的艰辛与吃鱼人的享受放在一起说,言外之意,是世道的不公、命运的悬殊、人生的悖反。这里既有对渔者的同情与关怀,又有对其闯荡风波、勇敢无畏的赞美。就艺术手法说,诗中进行巧妙的对比:江上人与一叶渔舟中人,往来徜徉者与出没风波者,享受美味者与捕捞美味者,两两对应,形象鲜明,寓意深刻。

推己及人

淮上遇风三首(选一)

范仲淹

一棹危于叶,旁观亦损神。
他年在平地,无忽险中人。

诗人第二次被贬后,携带妻儿离京南下,直抵睦州(治所在今浙江桐庐)。途经淮水时,遭遇大风,险些翻船丧命。脱困后,遂有此作。

前两句,描绘了自己乘坐的小船在狂风怒浪中漂泊摇荡、险致倾覆的情景。说,小船颠簸得比一片树叶还厉害,极度危险;不仅当事人心惊胆战,就连站在岸边的旁观者,也都动魄伤神。三、四两句,笔锋一转,走出自身的处境,推己及人,想到死里逃生之后,将来在平地上,应该时刻记挂着那些身在险境中的人们。"无忽"二字,含有设法助其脱困之意。仁爱心肠,跃然纸上。

据《宋史》记载,范仲淹出身于贫寒之家,"少有志操","冬月惫甚,以水沃面;食不给,至以糜粥继之。人不能堪,仲淹不苦也"。这样的经历,使他对于劳苦大众怀有"人饥己饥,人溺己溺"的深厚的同情意识。陈师道在《后山诗话》中评此诗曰:"虽弄翰戏语,卒然而作,其济险加泽,未尝忘也。"

　　诗以白描手法状景传情,全无矫饰,语言清新质朴,不追求辞藻的华丽;而且,含有理性思考,道出了一己的人生理念。这样,情感就更为深沉,感染力也更强了;特别是从切身经历中获得人生感悟,便倍觉真切动人。

谁是"收人"

书扇示门人

范仲淹

一派青山景色幽,前人田地后人收。
后人收得休欢喜,还有收人在后头。

作为杰出的军事家,范仲淹被西夏人称为"小范老子",说他"腹中自有百万甲兵",必须严加警戒;而作为优秀的诗人,他的头脑里也武装着辩证思维方式,时有寄托怀抱、讽喻世情之作,充盈着丰富的哲思理蕴。

作者从眼前景物、生活实际出发,以书写扇面的形式,向弟子们讲授认知世事、解悟人生的道理。诗句浅显易懂,平白如话,但意蕴十分深刻,可以引发多重联想。

——以发展变化的观点看待客观事物。时光永是流逝,世事变化无常,变是绝对的,不变是相对的,"人生代代无穷已","前人田地后人收"。小而面对一片庄田,在封建时代的农业社会里,土地的兼并争夺不断进行,因而提醒世人,不要过于拘执谁是"收人";大而至于王朝更替、社会发展,更是桑田沧海,变化多端。明代学者杨升庵在《二十一史弹词》中,以《西江月》词牌,演绎了范仲淹的这一观点:

"道德三皇五帝,功名夏后商周,英雄五霸闹春秋,顷刻兴亡过手。青史几行名姓,北邙无数荒丘。前人田地后人收,说甚龙争虎斗。"

——观察、分析事物,需要把目光放得长远一些。"风物长宜放眼量",不要就事论事。要随时为变,随几处变,审时度势,唯变所适。

——树立正确的得失观。对那些倘来之物,得之勿喜,失之勿悲;"不以物喜,不以己悲"。这在其传世名篇《岳阳楼记》中,已经表述得很清楚了。

正 气 歌

书端州郡斋壁

包拯①

清心为治本,直道是身谋。
秀干终成栋,精钢不作钩。
仓充鼠雀喜,草尽兔狐愁。
史册有遗训,毋贻来者羞。

作者是历史上有名的清官、直臣。《宋史》本传载:"(包)拯立朝刚毅,贵戚宦官为之敛手,闻者皆惮之。"本诗就体现了这一点。格调高昂,气正言宜,倡直道而惩贪欲,读来有大义凛然、罡风掠面、酣畅淋漓之感。

首联讲正心修身。说,涤除私欲,净化心灵,是立身做人的根本;奉行直道,公正廉明,是为政处事的良谋。颔联从正面谈人生追求与理想信念。正直的人,像那高大笔直的树干,终归会成为社会栋梁;久经淬炼的钢材,是决不肯弯曲为钩的。颈联从反面讲,采用互文笔法,以形象说话:仓里存粮多,鼠雀就高兴,因为有油水可捞;野地杂

---

① 包拯(999—1062),宋天圣年间进士。为政清正廉直,官声、民望俱佳。

草少,狐兔就发愁,因为无所依凭,更占不着便宜。言下之意是,那些"城狐社鼠",无耻之徒,鼠窃雀偷,贪婪成性,即便能够得势于一时,但终究逃脱不了可悲的下场。尾联说,我们应该牢记圣贤遗训,以他们为镜鉴,不要贻羞于后人。

关于这首诗,有这样一段本事:史载,宋仁宗康定元年,包拯出任端州(今广东省肇庆市)知州(太守)。端州以产端砚闻名遐迩,每年都要向朝廷进贡。包拯以前的郡守,打着进贡的旗号,额外索取数十倍的名砚以肥己营私,巴结权贵。包拯到任后,悉数减去多余的征敛,只征收进贡的数额,自己则一份也不取。为此,他在郡守府第墙壁上题写了这首五律,一以自警,一以示人。

《宋史》本传中还有"岁满不持一砚归"的记载。包拯知端州三年期满,乘船离任还朝。端州百姓为了表达感激与怀念之情,送给他一方端砚,以为纪念。随行人员觉得这是当地特产,并非金银珠宝,便收下了。船出羚羊峡,行至江中,被包公发现了,予以严厉申饬,随手将这方端砚抛入江中。至今,过往行人还常指点江中的"包公投砚处"。

欧阳修称赞他:"清节美行,著自贫贱,谠言正论,闻于朝廷。"曾巩称他"仕至通显,奉己俭约,如布衣时"。他不但自身廉直,而且重视家教,严格约束子弟。包拯生前曾立下三十七字家训:"后世子孙仕宦,有犯赃滥者,不得放归本家;亡殁之后,不得葬于大茔之中。不从吾志,非吾子孙。"

外因是条件

使风船

梅尧臣[①]

清淮直上水连天,坐看高帆后复前。
自是乘风有迟速,不由人力爱争先。

  诗的开头两句,描绘出一幅清晰的画面:滚滚奔流的千里淮河,烟波浩渺,水天无际,河上布满了往来行驶的帆船。高帆片片,有的飞速向前,有的缓慢拖后。三四两句,就上述现象提出问题:为什么它们一样行驶,却迟速有异呢?作者自答:由于是乘风而行,非凭自力,因而它们的快慢完全取决于风向与风力,而不是靠着驶船人去奋力争先的。
  诗中通过描述帆船趁风行驶的日常现象,揭示出主观愿望、自身努力与客观条件的关系,颇富哲思理趣。
  这种情况反映在社会实际中,就更是俯拾皆是。比如,人生的际遇、人才的成长与事业的发展,除了主观努力,单就客观条件来看,就颇似帆船的行驶,往往受到环境、机遇的制约,有时甚至起到关键

[①] 梅尧臣(1002—1060),北宋重要诗人。仕途上不得意,诗坛却享有盛名。

作用。

　　就说梅尧臣自己吧：少时应进士第未中，结果长期滞留在州县官署。五十岁后，由于碰巧赶上宋仁宗召试，赐同进士出身，这样才有机会成为太常博士。接下来，又因为得到欧阳修的举荐，做了国子监直讲，尔后，累迁尚书都官员外郎，显然都是外力起了关键作用。也许正是有感于此吧，诗人借题发挥，写下了这首七绝。职司拔擢人才、负责选人用人者，应当从中接受启示，增强责任意识。

　　梅氏为诗，奉行《诗》《骚》传统，力主写诗要"因事有所激，因物兴以通"，反对浮艳空洞的诗风；注重诗歌的形象性，强调意境含蓄，韵味平淡。他说："作诗无古今，惟造平淡难。"本诗充分体现了这些特点。

让千里马跑起来

伤骥

梅尧臣

驽骥同一辀,迟速能几里?
当其被问时,举策数耳耳。
驰骋心独存,压抑头不起。
空传八骏名,未遇穆天子。

诗中说,良骥举步如飞,有"千里马"之美誉;可是,愚蠢的车夫却把它和驽马弄到一起,让它们同驾一辆车,这样一来,也就谈不上什么迟速了。当被问及:何以如此?车夫行若无事地举着马鞭子("策")数着马匹,意颇自得。而良骥,此刻却是痛彻心扉,苦不堪言——徒存驰骋之壮志,却无用武之疆场,不禁情怀压抑,黯然低下头来。前六句,都是叙事;后两句转为议论:由于生不逢时,没有遇到驾车日行三万里的周穆王("穆天子"),八骏也就空有其名了。

"辀",本义为车辕,这里借指车辆。"耳耳"一词,源出《诗经·鲁颂》:"六辔耳耳。"意为四马六辔(缰绳),状极华美。在古代典籍中,"耳耳"另有表示有所不足之义,犹言罢了罢了。如作此解,似与本车夫见地、行为不符,因此取《诗经》义。这里顺便说一下,"耳"在古代韵书中,属上声、"纸"韵。

诗题"伤骥",极见作者深心。作者目睹许多英杰之士,大才槃槃,却不得其时,不得其地,不得其人,没有充分施展机会,像那些千里马一样,徒怀驰骋绝尘志,虚负凌云万丈才,最后郁郁以终,因而感时伤世,泣血椎心,题诗寄慨,愤抒不平之气。

应该说,这种愤慨、伤情,在正义、刚直之士中,是千古同怀的。王安石《材论》一文中也曾谈道:如果把良骥和驽马一起关在厩中,让他们一起吃料饮水,嘶鸣踢咬,那是难以辨其优劣的。唯一的办法是分别安排它们负重长驱——良马拉着重车,不用再三鞭策,只要一拊缰绳,"千里至矣";而驽马拉车,即使昼夜不停地跑,弄得筋败骨伤,也是无法赶上去的。

明代抗倭名将俞大猷的千里马诗,把这一诗意阐释得更加清楚:"笑将龙种骋中庭,捷巧何施缓步行。待看流沙遥万里,须臾踏破古丰城。"说的是,将千里马放在中庭小院里,即使它再捷巧,也只能缓步前行,而无所施其技;假如放它去万里之遥,那么,它就会很快地踏破丰城,跑遍天涯。人才也是这样,只有在合适的条件下,通过合理的使用,才能鉴别其高下。

三位诗人,异代同心,都是说:良骥与驽马混在一起,是无法辨识其快慢、考查其优劣的。人才也是一样,若要使其充分施展才智,就须为他们营造有利的环境,提供足够的条件,让"千里马"能够跑起来。

自 由 颂

画眉鸟

欧阳修[①]

百啭千声随意移,山花红紫树高低。
始知锁向金笼听,不及林间自在啼。

  诗人用对比的手法,描写了生活在两种状态下的画眉鸟:一种是眼前所见的——画眉鸟在高低错落的树林间、红紫纷呈的花丛里,随意蹦蹦跳跳,任情适性地飞翔、歌唱,鸣声婉转,悦耳动听;另一种是心中所想的——诗人悟解到,当画眉鸟被锁进哪怕是最精致华美的笼了里,那么,它的鸣声就再也赶不上任情适性、自由自在时那样动听了。

  可以说,这是一首形象鲜明、诗情洋溢的《自由颂》,而且也是一首比较标准的咏物抒怀的哲理诗。诗人通过刻画画眉鸟当闭锁笼中和在林间自在飞翔时鸣声的差异,表达他对自由自在、无拘无束的生活的颂赞与向往,也曲折、隐晦地抒写了他在政治上遭受排挤的愤懑不平之情。

[①] 欧阳修(1007—1072),号六一居士。宋天圣年间进士。著名文学家,散文、诗词均有很高成就,为"唐宋八大家"之一。

联系现代社会生活,人们会发现,作为一种意象,这种金丝鸟也经常在人群中闪现。有的女性在婚姻中并不顺心,所遇合的完全不是自己理想追求的对象,但由于贪恋眼前安逸、富裕的条件,却又舍不得离开这个金笼子,只好以自由、幸福为代价。而更可悲的是那些"小三""二奶",为了贪图金钱与物质,完全过着雕笼中的金丝鸟的禁闭生活。如果说,前者还有其不得已之处,堪资哀怜的话,那么,后者就委实可悲可鄙了。

诗中有描写,有叙述,有抒情,有议论,始终坚持用形象说话;而且在很大程度上,出之于个人的内心体会和生命体验。其中阐述的哲理,并没有满足于一般的知识性判断、逻辑性推理,而是从切身的审美体验中生发出来,因而鲜活生动。南宋著名学者朱熹评论欧阳修的另一首诗时,曾说:"以诗言之,第一等诗;以议论言之,第一等议论。"用这个断语来评价此诗,也可说是恰合榫卯。

花 山 叹

题花山寺壁

苏舜钦①

寺里山因花得名,繁英不见草纵横。
栽培剪伐须勤力,花易凋零草易生。

花山寺,在今江苏镇江(一说在苏州),诗中所写为作者实际感受。

起笔就很有趣:花山寺因花而得名,可是,待到诗人慕名前往观赏时,却不见嫣红姹紫的繁花,入目的尽是纵横杂乱的萋萋茂草,因而感叹:什么花山寺? 不过徒具虚名而已。

如果诗就至此为止,也可以说是意蕴完整;但是,诗人演绎开来,议论下去。由花山寺见草而不见花的客观现象,在主观上总结出经营园艺的规律性认识——正是由于嘉花美卉极易凋零而自然生长的野草却生命力最为旺盛,因此,栽培花卉过程中,需要不断剪伐相伴而生的杂草,而这都是要靠种花人勤劳努力的。

原本是花枝照眼的山寺,之所以"繁英不见草纵横",其中有主、

---

① 苏舜钦(1008—1049),宋景祐年间进士。性格坚强,敢于痛陈时弊,为邪恶势力所不容,被罢黜除名。诗风雄放劲健,语言朴素畅达。

客观双重原因。从客观上说,"花易凋零草易生",这是自然界的客观规律。"种豆南山下,草盛豆苗稀""野火烧不尽,春风吹又生"等名句,都说明了野草生命力的顽强。从主观上说,是"栽培剪伐"不"勤力",助长了草势的猖狂。显而易见,诗中所强调的乃是主观因素。

诗的艺术手法,一是即事明理,有感而发;二是通过暗喻或者借喻,引人深思遐想。看得出来,山寺乃暗喻朝廷,繁花喻指贤臣,杂草喻指奸佞。诗的深层意蕴,是对于进贤黜奸、革新除弊、激浊扬清的渴望与呼唤。这种比喻的特征,是像黑格尔所说的,"应使它所运用的确定的形象,保持它原有的确定的形态,它并不是要在形象里按照意义的普遍性而直接显出那意义,而只是用对象的某些相关联的性质去暗示那意义"。(《美学》第二卷)

寒操劲节

小桧

韩琦①

小桧新移近曲栏,养成隆栋亦非难。
当轩不是怜苍翠,只要人知耐岁寒。

这是一首咏物言志诗。作者说,我把这棵幼小的桧柏移近曲栏,并非着意于让它快快地长成隆材巨栋,应该说,这并不是很难的;也不是为了欣赏它的苍苍翠色——并没有那样的闲情逸致;我只是要让人们从它那种"耐岁寒"的高贵品格中获取有益的启迪。

诗人借吟咏庭前移栽的小小桧柏,展示一己的清风劲节的抱负、刚正不阿的品格。这里有自许,有标榜,有寄托,也有感慨。笔势活泼跳脱,手法新颖别致。

首句以叙事领起,讲述移栽小桧的情景;次句本应接着叙述下去,却陡然转身,改为联想,由眼前的小桧,联想到将来的乔木,再由将来顶天立地的栋梁之材,想到桧柏由小到大的生长历程,并由此而生发出培育的难易问题。作为咏物诗,需要有所寄托,于是,在后面

---

① 韩琦(1008—1075),宋天圣年间进士,曾任枢密使、宰相。

两句中作了形象的阐述。可是,作者又不直接给出答案,偏偏安上一句:"当轩不是怜苍翠",又把通常的想法推翻了;最后,终于亮出底牌:"只要人知耐岁寒"。令人耳目一新,洵属"龙门得意之笔"。

  在一般人心目中,韩琦是一位典型的政治家,"辅三朝,立二帝,出将入相,功在社稷",原不以诗文名世;实际上,他是精于此道的。单看这首小诗,就俱见其深厚的功力。不但寄怀高远,意蕴深长,而且逻辑严密,笔势起伏跌宕,虽以议论入诗,却兴味盎然,耐人寻味。

巧　喻

闻莺

李觏①

才转歌喉碧树枝,惊飞还避巧丸儿。
可怜蜂蝶无言语,入遍花房人未知。

作者说,喜欢歌唱的黄莺,在青枝翠叶间刚一开喉鸣啭,就被持弓携弹的小儿发现了,于是,只有仓皇地惊飞远避,逃之夭夭;而那可爱("可怜")的娇蜂细蝶,一声不响地采蜜扑粉,遍入花房,却悄无人知,没有引起任何人注视。

很像是一则动物寓言。诗中巧妙地运用对比方法,来叙事抒怀,表情达意。以"黄莺"比对"蜂蝶","碧树"比对"花房","转歌喉"比对"无言语","巧丸儿"比对"人未知","惊飞"比对"入遍"。前者张扬,处处被动,动辄得咎;后者沉默,步步主动,如愿以偿。作者一双妙手,运作两副笔墨,读来十分有趣。且看他兀自在那里状景写真,似乎"不着一字",却也"尽得风流",于字里行间,透露出深邃的思想意向。

---

① 李觏(1009—1059),北宋思想家、教育家。屡试不中,长期在家乡教书课徒。

至于这种意向究何所指,任凭读者去猜好了。或曰:是对多言贾祸者宣示警喻。或曰:似对唱高调者与闷头做事者加以评判。或曰:可为《庄子·列御寇》篇"巧者劳而智者忧,无能者无所求,饱食而遨游,泛若不系之舟,虚而遨游者也"作注脚。

名花之累

梅

王淇①

不受尘埃半点侵,竹篱茅舍自甘心。
只因误识林和靖,惹得诗人说到今。

诗人运用拟人化的手法,赞颂梅花的不与群芳竞艳、孤标傲世、洁身自好的高标逸致;述说它不愿受到尘埃的污染,甘心生长在简陋的竹篱茅舍旁边,淡泊自甘、困守衡茅的志趣与追求。说到这里,笔锋一转,扯出了一个新的话头,说梅花自有生命以来,就这么清虚静寂地生活着,意想不到的是,碰上了一个结庐于孤山梅岭、不婚不宦、萧然自适、以梅为妻、视鹤为子的林和靖,偏偏诗又写得绝佳,"疏影横斜水清浅,暗香浮动月黄昏"的咏梅佳句,名闻遐迩,这样一来,可就麻烦透顶了,许多诗人"跟进",竞相吟咏不辍,从此便沸反盈天,再无宁日。

王淇与欧阳修、梅尧臣同时,晚于林逋不过半个世纪左右,他就富有预见性地说:"惹得诗人说到今",似乎他已经看到了后世赞梅、

---

① 王淇,宋仁宗时进士,曾任江都主簿,以礼部侍郎致仕。

咏梅的滔天热浪。当然,这笔账如果都记到林和靖身上,也并不符合实际,《诗经》《楚辞》中早都闪现着横斜的梅影;迨至南北朝,陆凯更把它"聊作一枝春"赠予友人,庾信则"俱来雪里看";而在唐朝,"诗佛"王维、"诗圣"杜甫、"诗仙"李白更是竞相吟咏;如果王淇能够活到南宋,那么,更不会放过那个热望"何方可化身千亿,一树梅花一放翁"的陆游了。

最后,我们再来深入考究一下王淇诗中的"误识"二字。如果按寒梅孤高傲世的个性来看,由于结识了林和靖,从此便告别了清静,确实是一场失误;但是,反过来说,如果没有历代诗人的关注,"来日绮窗前,寒梅着花未"(王维),"故园不可见,巫岫郁嵯峨(只好攀上山峰去寻觅)"(杜甫),"江城五月落梅花","走傍寒梅访消息"(李白);没有广大诗人的赞美,"雪虐风饕益凛然,花中气节最高坚"(陆游),"寻常一样窗前月,才有梅花便不同"(杜耒),那么,作为中华民族性格、风范与理想追求的一种意象,一种象征,作为"岁寒三友"的组成部分,松竹之外,失却寒梅,又该是何等的遗憾啊!

血泪控诉

蚕妇

张俞[①]

昨日入城市,归来泪满巾。
遍身罗绮者,不是养蚕人。

站在我们面前的,是一位泪花满眼的勤劳质朴的农村妇女形象。她长期僻居乡下,以养蚕为生。这天,她初次进城卖丝,在眼花缭乱、市井喧哗之间,突然发现一个非常奇异的现象:那些每日劳作不息的辛苦农民,一个个都是衣着褴褛,许多都是补丁摞着补丁,甚至衣不蔽体;而那些有权有势、趾高气扬、发号施令的大官儿,衣来伸手、饭来张口、游手好闲的富人,却全都身穿绫罗绸缎——这些贵重的穿戴,是从哪里来的?不都是凭着我们双手日夜拼搏出来的吗?他们竟然不劳而获、"白手拿鱼",实在是太不公平、太不合理了!想着想着,她痛哭了起来。

在这首言简意赅的讽喻诗里,诗人以敏锐的洞察力、高度的概括力和对养蚕农妇的深刻同情,不着一字议论,完全用写实的手法,把

[①] 张俞,生卒年不详,号白云先生。北宋文学家。屡试不第,因荐除秘书省校书郎。著有《白云集》,已佚。

蚕妇的现场见闻、内心感受,生动形象、绘声绘色、有血有肉地展现出来,对于获而不劳、劳而不获的不合理社会现实,进行了无情的揭露,表达了对于剥削者的彻骨愤恨。与远古先民的血泪控诉:"坎坎伐檀兮,置之河之干(岸)兮。河水清且涟猗。不稼(耕种)不穑(收割),胡(何)取禾三百廛(农民住的房)兮?不狩不猎,胡瞻尔庭(院子)有县(悬)貆(猪獾)兮?彼君子兮,不素餐(白吃饭)兮!"(《诗经·伐檀》),有异曲同工之妙。

按照马克思关于"劳动的异化"理论,这是属于生产结果(劳动产物)的异化。其特征是,无产者劳动产生的成果,并不是他们自己所有,而是在完成生产过程那一刻,就已经被剥夺了。"劳动不属于他(劳动者),他在劳动中也不属于自己,而是属于别人。"概言之,他的劳动的目的、过程和结果,都不再属于他自己。这就被称作劳动的异化。

风月情怀

清夜吟

邵雍①

月到天心处,风来水面时。
一般清意味,料得少人知。

"风月无今古,情怀自浅深。"说的是,面对同样的风花雪月,不同人有不同的感受,情怀各异,深浅有别。而康节先生则在诗中作了深入一步的掘进,斩截地说:天心月到,水面风来,一样的沁凉明净、清新隽永,而且俯仰可拾,"不用一钱买";可是,却没有几个人能够领略得来、消受得到。原因在于,普通人群内心受到名缰利锁的羁绊、浮世欢娱的诱引,缺乏灵明、宁静、自由的心态,因而根本感受不到它的美感、它的澄澈、它的灵明。诚如西方哲学家海德格尔所说的:"人的心境愈是自由,便愈能得到美的享受。"

诗人在这里,通过触兴而发的深刻、独特的切身感受,揭示出生活中主观制约客观、"境由心造"的规律性。而他的这种与自然相契合的人生境界,与道合一的生命体验和诗化生成的审美意识,可以概

---

① 邵雍(1011—1077),北宋哲学家、美学家、诗人,人称康节先生。久居洛阳,名所居曰"安乐窝"。

括为风月情怀。当代学者刘隆有指出:"这种妙涵天机,深蕴宇宙自然之大美、静美和氤氲化育其间生命的自在自得、高远复渺而又恬适欢愉的诗意诗境,怕是绝对苦吟不出来的。"

邵雍天性好诗,把吟诗看作生命的存在形态,生命的本色展现;但他并不像有些诗人那样:"两句三年得,一吟双泪流","吟成五字句,捻断数茎须"。他把作诗看得很随便,"如鉴之应形,如钟之应声"。《无苦吟》曰:"平生无苦吟,书翰不求深。行笔因调性,成诗为写心。诗扬心造化,笔发性园林。所乐乐吾乐,乐而安有淫。"他的诗,有的并不拘守固定声律,关键在于实现心态的审美愉悦。他说:诗乃"自乐之诗也。非谓自乐,又能乐时与万物之自得也";"莺花供放适,风月助吟哦。窃料人间乐,无如我最多"。他为自己画像:"安乐窝中快活人,闲来四物幸相亲。一编诗逸收花月,一部书严惊鬼神。一炷香清冲宇泰,一樽酒美湛天真。"

作为理学诗派的创始人,邵雍的诗,一方面饱蕴哲理,一方面平易畅达,所谓"句会飘然得,诗因偶而成"。依此规范,本诗写了两种情境:一是净,明月高悬,纤云不见,碧空澄澈,沁凉如水;二是静,四野无声,万籁俱寂,一池春水上突然掠过一缕清风,荡起细细的涟漪。两种情境的共同神韵,就是一个"清"字。但料得到,这种清幽淡远的意味,却只会有很少的人能够领略,因为领略客观情境的净与静,有赖于主观心境的净与静。世人追名逐利,奔走营求,整天处于惶遽、浮躁之中,又怎能做到净与静呢?邵雍另有两句诗:"闲为水竹云山主,静得风花雪月权。"说的是,闲逸能成为水竹云山的主人,恬静可得到欣赏风花雪月的权利,与此同一机理。

古代哲人有"定而后能静,静而后能安"和"静久生明,静中生明,定极生明"之说。看得出来,在红尘扰攘中,要能真正领略这难得的"清气味",是离不开心地明澈、心境安宁的,而这都绝需静、定。

灵明境界

天津感事吟

邵雍

水流任急性常静,花落虽频意自闲。
不似世人忙里老,生来未始得开颜。

从诗题中得知,作者是站在洛阳的天津桥上,因事有感而吟。那么,吟什么呢?他是借助流水、落花的自然形态,从哲学高度揭示仕与隐、忙与闲、动与静的矛盾与对立,展现了两种截然不同的生活态度。说,流水纵然急遽,其本性却总是平稳、澄静的;繁花零落虽然连续、频繁,但它的意态却是闲适的。不像世人那样,从生下来就没有一笑颜开的时候,最后在奔波、劳碌中老去。作者所赞赏的显然是前者。其实,他本人就正是这样做的。

唐代诗人杜荀鹤有"举世尽从愁里老,谁人肯向死前闲"之句,后来有人把它改为"举世尽从忙里老,谁人肯向死前休"。说的都是那种终生忙忙碌碌,愁肠百结,"生来未始得开颜"的生活状态。与此形成鲜明的对照,号称"康节先生"的邵雍,长期隐居于洛阳天津桥南,闲适安静,淡泊从容,悠然自得。如同他在《安乐吟》中所说的:"垂三十年,居洛之涘(水边)。风月情怀,江湖性气。"这种灵明境界,上升到美学层面,"是指一种与自然相契合的审美意识和诗化的生活作风,从其中包含的形而上的追求而言,它又是与道合一的生命体验"(当代学者王利民语)。作为一种审美观照、审美抉择,这同邵雍的从容静穆、开朗洒脱、放旷闲适的个性特征,恰相契合。

花 之 妙

善赏花吟

邵雍

人不善赏花,只爱花之貌;
人或善赏花,只爱花之妙。
花貌在颜色,颜色人可效;
花妙在精神,精神人莫造。

这首五言古诗,不仅语句通俗,内容也浅显易懂;赏花更是人们日常生活中极为熟悉的活动。题曰《善赏花吟》,看来,关键全在这个"善"字上,诗人做的就是善赏花与不善赏花的文章。

"人不善赏花"句,是说世人普遍不善于赏花,大多只停留在赏玩花的外在形貌上,什么"花枝招展""花红似火""花容艳丽""花影缤纷"等等,都是着眼于容貌、形态、颜色。"人或善赏花"句,是说有的人就不同了,专门注重花的精神、神韵、气度、丰姿,即"花之妙"。后面两句,分别剖析不善赏与善赏的结果——花貌、颜色,全属外观,谁都可以仿效;而精神、风韵,却是出自内在本质,那可不是谁都可以达到的。"丹青难写是精神";学术上,有造诣、造玄、造妙、造微、造极之说,都是着眼于精神本质。

实际上，诗中的赏花也只是一种借喻。诗人的真实用意，是通过浅显的语言、生动的形象，揭示深邃而高妙的艺术鉴赏道理。诗中的"花之貌"与"花之妙"，"人可效"与"人莫造"，关涉到艺术赏鉴中如何处理实质与表象、精神与形貌、神韵与姿态、内容与形式等一系列关键性课题。

本诗体现了宋诗特别是宋代哲理诗的一些特点。当代诗人孔德华指出，"在艺术方法上，作者以词句的回环运用，通过全篇议论，赋予了诗中层层递进的逻辑关系和极强的哲理性。使读者只要抓住了几个关键词，一咏便能记之。"

贬　柳

咏柳

曾巩[①]

乱条犹未变初黄,倚得东风势便狂。
解把飞花蒙日月,不知天地有清霜。

　　古代诗人对于柳树的态度颇有差异。《诗经》中的"昔我往矣,杨柳依依";庾信的"昔年种柳,依依汉南。今看摇落,凄怆江潭"之句,显然是一种怜爱的笔调;而老杜的"颠狂柳絮随风舞"与"轻薄桃花逐水流"相提并论,不屑之情跃然纸上。但是,到了贺知章的笔下,"碧玉妆成一树高,万条垂下绿丝绦",简直像身段窈窕、婀娜多姿的少女般可爱;这同曾巩的这首讽喻诗,通过枝条乱舞、飞絮癫狂的性格化描写,予人以厌憎、鄙视的形象,恰成鲜明的对照。

　　怜爱也好,憎恶也好,实则诗人不过是把它作为一种意象或者喻体,借以抒怀寄志罢了。本诗就是把锋芒指向那些头脑热昏、得意忘形的势利小人。而且,从"蒙日月"的用语看,从前有"天子日月之明"的说法,可见,那些势利小人大多处于上层地位。诗中说,垂柳

[①] 曾巩(1019—1083),宋嘉祐年间进士。以散文著名,入列"唐宋八大家"。

凌乱的枝条,还没有真正的回黄转绿呢,便倚仗着东风的吹拂,作势癫狂起来。它只懂得飞花吐絮,遮天蔽日,可哪里知道,还有严霜飞降,枯叶凋零那一天!出语冷峻,足令倚势发威者惕然深思,脊背发冷。

　　诗人把柳枝癫狂、飞絮张扬的景色,描绘得十分生动。用词也很考究:"乱条""倚得""势便狂""蒙日月",都带有鲜明的贬斥色彩。

　　这里涉及一重公案,即曾巩是否能诗问题。宋人彭渊材有生平"五恨"之说,其中第五恨为"曾子固不能作诗"。对此,后世许多学者不以为然。钱锺书先生即认为,在唐宋八大家中,曾巩的诗"远比苏洵、苏辙父子的诗好,七言绝句更有王安石的风致"(语见《宋诗选注》)。曾巩自己也写过一首《赠弹琴者》的七绝:"至音淡薄谁曾赏,古意飘零自可怜。不似秦筝能合意,满堂倾耳十三弦。"淡有至味,曲高和寡,似乎他已经预见到那种片面化、表面化说法的存在了。

瞬息千秋

瞑目

司马光①

瞑目思千古,飘然一烘尘。
山川宛如旧,多少未来人!

作为著名历史学家,诗人习惯于用历史眼光、宏观视角来观察世事、解读人生。诗一开头就讲:当你闭着眼睛沉思千古的时候,就会发现,原来个体生命在时间长河中,不过像燃烧过的一粒尘灰那样渺小而短暂。接下来,又扩展开去,说,历经千年万载,自然界看不出太大的变化,可说是故态依然;而生民却已经不知传递多少代了。这样,就在绵长的时间基址上构建了一座通向邈远空间的意象的桥梁,从而把动态的先后延续的时间和静态的上下左右的空间连接在一起了。

"山川宛如旧,多少未来人!"这怆然惋叹,令人想起前人何希齐的两句诗:"陈桥崖海须臾事,天淡云闲今古同。"是呀,从赵匡胤在陈桥驿兵变举事,黄袍加身,创建赵宋王朝,到末帝赵昺在蒙元铁骑

---

① 司马光(1019—1086),著名史学家、政治家。宋宝元年间进士。前后费时十九年编修《资治通鉴》。著作达三十七种。

的追逼下崖州沉海自尽,宣告赵宋王朝灭亡,三百多年宛如转瞬间事。可是,仰首苍穹,放眼大千世界,依旧是淡月游天,闲云似水,仿佛古今都未曾发生什么变化。

在诗人笔下,自然界的永恒和人世间的嬗变,历史永无穷尽与个体生命的短暂、渺小,恰成鲜明的对比。这一哲理性的思索,可以同陈子昂《登幽州台歌》中的"前不见古人,后不见来者。念天地之悠悠,独怆然而涕下",苏东坡《前赤壁赋》中的"寄蜉蝣于天地,渺沧海之一粟;哀吾生之须臾,羡长江之无穷",参照着读。这样,就会纵观天地,俯仰古今,对宇宙、人生、自然、历史,短暂与永恒、有限与无限、有常与无常、存在与虚无,获得清醒的认识,从而超越个人的身世慨叹,也超出诗歌本身的政治价值和历史价值,融入古往今来无量数人在宇宙时空面前的生命共振,领略一种永恒的美学价值。

我们还可以把历史镜头,摇到清代中叶乾嘉之际。与司马光一样,同为历史学家又是诗人的赵翼,写过一首《阅史戏作》:"闲翻青史坐凉宵,顷刻兴衰阅几朝。寸烛未残千载过,先生笑比烂柯樵。""烂柯樵"的典故引自南朝梁·任昉的《述异记》,说是晋朝时的王质,这天到信安郡的石室山去打柴。看到一童一叟在石上下棋,于是把砍柴斧子放在旁边地上,驻足观看。看了多时,童子说:"你该回家了。"王质起身去拿斧子,一看斧柄("柯")已经腐烂了,磨得锋利的斧头也锈得凸凹不平。回家后,发现一切全都变样,无人认得他,提起一些事,几位老者说,那已经过去几百年了。

时隔七百年,两位史学家越过邈远的时间界隔,以诗性语言进行遥空对话。司马光说的是"瞑目思千古",而赵翼则是谈论读史"阅几朝",一位以"烘尘"为喻,一位用"烂柯"作比,说的都是史影飘然,驹光过隙,瞬息千秋。寄怀深远,令人神思缥缈,遐思无限。

如果再深入一层探究,我们可以从这位伟大的历史学家的哲理诗中,领悟到生命、时间与历史的辩证关系。首先,诗人所瞑目思量的"千古",并非普通的晨昏递换、寒暑交替的自然时间,而是无量数的社会人群参与其中甚至布满了"千古风流人物"活动轨迹的历史时间。其次,"多少未来人",也不是指称那些浑浑噩噩、无知无误、只有呼吸而无思想和作为的一般的生命。再次,历史是文化的传承、积累与扩展,是人类文明的轨迹,既是人类总体、人类文化的发展史,也是个体自我的形成史、生长史。历史唯物主义告诉我们,正如生命不能停留在时间的形式上,还必须形成精神、思想、意识,否则只是一个抽象的毫无意义的生命;时间也必须上升为历史——时间的客观化形态,在历史进程中,展开生命创造活动。

寿有差等

勿愿寿

吕南公①

勿愿寿,寿不利贫只利富。
君不见生平龌龊南邻翁,绮纨合杂歌鼓雄;
子孙奢华百事便,死后祭葬如王公。
西家老人晓稼穑,白发空多缺衣食;
儿屠妻病盆甑干,静卧藜床冷无席。

  祈求长寿,这是人生的共同愿望,可说是古今中外,绝无差异。而诗人却陡然发出一声呐喊:"勿愿寿!"实为出人意料,突破常情常理。不过,细看全诗,发现诗人如此说,是有条件、更有理由的。他并非一概而论,只是就穷苦人而言,因为"寿不利贫只利富",如果长寿只能带来饥寒、艰难、困辱之愁苦,所谓生不如死,那也就真的没有什么活头了。勿愿长寿,虽属愤激之言,确也合情入理。
  立论之后,诗人接下来就用两个方面的事实,来佐证一己的观点、看法。他巧妙地设置两个命运截然相悖、处境悬同霄壤的人物形

---

① 吕南公,宋熙宁年间贡生,试礼部未中,退而灌园。

象:家赀豪富的"南邻翁",为富不仁("生平龌龊"),整天身着绮罗,歌鼓喧阗;子孙更是奢华无度,纵情挥霍;他的死后哀荣可与王公媲美。而"西家老人",虽然精通稼穑,艰苦力田,却饥寒交迫,穷困不堪;"白发空多"而衣食缺少;老妻卧病,儿子瘦弱不堪,莫要说延医调治,连填饱肚子的粮米都没有("盆甑干");白天饿肚子已经无法忍受了,夜间的寒冷更是难挨,身躯简直要冻僵了。处于这种"活不起"、"活遭罪"、生不如死的状态,寿命纵长又有什么乐趣?"勿愿寿"的意念,就是这么产生的。

  本诗极有特色。其一,就意蕴而言,诗人对于旧社会极端悖理的两极分化、贫富悬殊现象,发出最强烈的抗议。虽然诗中不见"愤慨""抗争"之类的字词,但形象鲜明,隐含着滴滴泪血,抵得上一篇皇皇万言的声讨檄文。其二,是对于先哲庄子"寿则多辱"之说的最佳诠释。过去人们习惯于冀求长寿,祈祷长命百岁,往往忽略了"寿有差等"这一现实情况——长寿好不好?不能一概而论,要看是在什么状态下的长寿。寿与福相连,如果像"西家老人"那样,饥寒交迫,生计艰难,早已生趣全无,还有什么幸福之可言呢!其三,东坡居士认为,"诗以奇趣为宗,反常合道为趋";清人贺裳也有"无理而妙"之说。南公此诗,可谓"反常合道""无理而妙"的典型例证。诗中强烈对比手法的运用,尤堪称绝妙。

宋 代

登高望远

登飞来峰

王安石①

飞来峰上千寻塔,闻说鸡鸣见日升。
不畏浮云遮望眼,自缘身在最高层。

这是一首即景抒怀的理趣诗。但诗人把议论放在后面,先写所见,次叙所闻,突出杭州西湖灵隐寺前飞来峰、千寻塔的峻极高耸之势,借此为后面的议论、抒怀作好铺垫。"闻说鸡鸣见日升",源自东晋·郭璞所著《玄中记》中"桃都山有大树,曰桃都,枝相去三千里。上有天鸡,日初出照此木,天鸡即鸣,天下鸡皆随之"之说。信手拈来,为己所用,具见娴熟的诗文功力。

叙述过客观景物之后,诗人转笔返回自身,从主体感受与哲学思考两个方面,阐发他的体验和见解。"不畏浮云遮望眼",是针对李白《登金陵凤凰台》中"总为浮云能蔽日,长安不见使人愁"之句,反其意而用之。作者充满底气地说,我才不怕浮云会遮住视线呢!为什么?接着作出回答:因为我立足点高,能够高瞻远瞩。

---

① 王安石(1021—1086),"唐宋八大家"之一。宋庆历年间进士。曾两度为相,积极推行新法。其诗文注重反映社会矛盾,风格峭拔、遒劲、清新。

应该说,伤高怀远,愁绪填膺,原属古来文士之常情。早在先秦时期,《楚辞·招魂》《高唐赋》即有"目极千里兮伤春心""登高远望,使人心瘁"之句;延续到后来,诸如"高台不可望,望远使人愁"(沈约)、"城上高楼接大荒,海天愁思正茫茫"(柳宗元)、"伤高怀远几时穷"(张先)、"一层已是愁无奈,想见仙人十二层"(敖陶孙)等,难以一一缕述。可是,被革命导师列宁称为"中国十一世纪时的改革家"的王安石,却一反故常,登高望远,豁达心胸,表达了他的一往直前、锐意进取的政治抱负和对于未来事业的坚定决心、高度信心。

经学者考证,本诗为皇祐二年(1050)夏,王安石在浙江鄞县知县任满,返回江西临川故里,途经杭州时所作。年方三十,初涉仕路,正处在壮怀激烈、勇于拼搏的奋进时期。诗中,他赋予"浮云"以政治含义——要创辟新途、实施改革,必然会遭遇反对派挡道,但是,他们即便能够得势于一时,像浮云那样得以暂时遮人眼目,最终总会在历史的长空中消亡散尽。这样写,既具形象感,又富有哲学意味。站得高才能看得远,属于日常生活中常见现象;而从政治家角度来谈,便有了新的意蕴。由于立足点高,因此所见者大,视野会更开阔,识见会更高超,辨识能力会更强。

当代学者高克勤指出,这首诗,与唐人王之涣的《登鹳雀楼》的意思有一些相近的地方。王之涣说:"欲穷千里目,更上一层楼",这是欲登之志;而王安石说:"不畏浮云遮望眼,自缘身在最高层",却又是登上之感。可是,两诗的艺术情趣是不同的,《登鹳雀楼》给人以力量的奋发,鼓舞人们积极向上,而《登飞来峰》却给人以哲理的深思,引发人们作无穷品味。

史影苍茫

读史

王安石

自古功名亦苦辛,行藏终欲付何人?
当时黮暗犹承误,末俗纷纭更乱真。
糟粕所传非粹美,丹青难写是精神。
区区岂尽高贤意,独守千秋纸上尘。

写作本诗,诗人怀有一种悲凉的意绪。一开头,他就慨乎其言:自古以来,凡是事业上有所成就、在历史上建树功名的人,总是历经辛苦、费尽心力的;可是,到头来,又有谁能够如实地记录下他们的行止、事迹("行藏")呢?在这里,诗人提出了一个难以破解、令人心情沉重,却又富于哲思理蕴的尖锐问题:自己费煞移山气力完成功业,然而,一瞑之后,却要完全听凭作史者去摆布,评骘好坏,指点妍媸,个人完全不由自主,无能为力。

那么,这种悲剧性的现象又是如何产生的呢?在颔联中,诗人从客观与主观两个方面,分析造成这种所传非实、所论失真的原因。历史是一次性的,当一种事物成其为历史,作为"曾在"即意味着不复存在,特定的人、事、环境尽数都消逝了。那么,即便是时人,由于历史本身存在着难以把握的某种不确定性,在恢复事物原态过程中,已经处于蒙昧不清("黮暗")状态,像《庄子·齐物论》中所言:"我与若不能相知也,则人固受其黮暗。吾谁使正之?"至于过后(与"当时"相对应的"末俗"),那就更是猜谜般的纷纭争论,其间肯定夹杂着不同程度的主观性介入,这样,就必然"是其所是",遗失真相了。

  颈联,对问题作进一步的深化。诗人说,这样一来,史书中所载记下来的,就不可能完全是精华("粹美")了,很多东西都是糟粕。《庄子·天道篇》:"桓公读书于堂上,轮扁斫轮于堂下,释椎凿而上,问桓公曰:'敢问公之所读者何言耶?'公曰:'圣人之言也。'曰:'圣人在乎?'公曰:'已死矣。'曰:'然则君之所读者,古人之糟粕已夫!'""丹青",泛指绘画艺术,这里也是借喻。意思是,就绘画来说,最难于措手的是描绘人的精神世界、神采气韵,那么,撰著史书的人,限于主、客观因素,自是更难真实地再现历史人物的精神面貌了。

  诗人最后的结语是:就凭着这么一点点的不尽真实的历史记载,又怎么能把古圣先贤的精粹思想尽数地表达出来呢?可笑的是,后世末流的俗儒,却抱定那些千载传留下来的糟粕("纸上尘")不放,视同瑰宝,以讹传讹。"区区"有多义,除了渺小、些微,还可作诚挚、拳拳解。这里取前者。

雪舞东风不染尘

北陂杏花

王安石

一陂春水绕花身,花影妖娆各占春。
纵被东风吹作雪,绝胜南陌碾成尘。

通篇都是对杏花的赞美。前两句写花开,后两句写花落;前两句写景状物,后两句议论抒怀;前两句淋漓尽致地描绘临波照影的杏花,繁英缀锦,娇媚妖娆,后两句含情脉脉地凸显杏花的品性高洁——凋谢后,随风飘散,宛如雪片纷飞,即使落入陂池,也胜过飘零南陌,碾成尘土,遭人践踏。而全诗的重心,分明在后面两句。编选《宋诗精华录》的近代学者陈衍评论说:"末二句恰是自己身份。"

原来,这首七绝写于作者贬居江宁(今南京)之后,是他晚年心境的写照,可说是聊将闲话寓悲凉。这和青年时期所写的《登飞来峰》,恰成鲜明的对比。诗中寄寓了作者在政治上失意时的心态与情怀,但毫无衰飒、颓唐之气,体现出他的耿介拔俗、孤芳自赏的个性、追求。当代学者吴汝煜解析说:"后两句,带有几分悲壮色彩。鲜艳的花瓣纵被春风吹落,飘洒在清澈的春水上,其纯洁的芳魂,却一无所玷,春水上涨,也许还有机会'暗随流水到天涯',又不失其远大之志；而那开放于车水马龙的南陌边上的杏花，最终将被车轮马蹄碾得粉碎，变成尘土，这是多么可悲！"清人吴之振也说："安石遗情世外，其悲壮即寓闲淡之中。"

诗的艺术特点：一是，善于取譬设喻，托物言志。杏花在我国文化传统中，是"十二花神"之二月花，足显地位之高。其娇姿艳质，占尽春先，却不像桃李那样，予人以轻薄、招摇之感。诗人以杏花自况，是经过认真考虑的。二是，语句工整，对比恰切。花与影，雪与尘，南陌与北陂，两两相对。陈衍有言："荆公绝句，多对语甚工者，似是作律诗未就，化成截句（绝句）。"三是，以议论入诗，但不直白浅露，颇具意象化、形象化，读来含蓄有味。

一言为宝

诸葛武侯

王安石

痛哭杨颙为一言,余风今日更谁传?
区区庸蜀支吴魏,不是虚心岂得贤。

古籍《襄阳记》载:杨颙入蜀,任丞相主簿,见诸葛亮事必躬亲,尝亲自校核簿书,遂批评道:"为治有体,上下不可相侵。今明公为治,乃躬自校簿书,流汗竟日,不亦劳乎?"言外之意,对下属工作有点包办代替。他建议诸葛亮要干丞相的事,不要"上下相侵",这才是为治之道。诸葛亮欣然接受批评,并任命杨颙为东曹属典选举。遗憾的是,这样一个得力的干才,不久便去世了。诸葛亮悲恸地说:杨颙之死,是朝廷的很大损失,因而垂泣三日。王安石读史至此,深受感动,遂写了这首七绝,予以热情赞颂。

"大名垂宇宙""功盖三分国"(杜甫诗句),诸葛武侯可歌可泣的丰功伟绩很多很多,而慧眼独具的王安石,却偏偏选中这么一件"小事"来歌之咏之,大书特书,就在于它反映了一位出色政治家的卓识远见、高风善举。而这种"一言为宝"的善举,恰恰关系到"区区庸蜀支吴魏"这样一个兴衰成败、命运前途的大问题。诗人颇有针对性地慨然兴叹:时至今日,更有谁珍重、传承这种求贤若渴、从谏如流的流风余韵呢?

"不是虚心岂得贤",有双重含义:既檃栝了刘备"三顾茅庐请诸葛",并仰赖贤才辅佐,得与处于强势地位的曹魏、孙吴抗衡争雄的史迹与经验,也是对诸葛亮本身善用贤才,辅佐庸主刘禅,继续支撑三国鼎立局面垂四十年之久的治绩的肯定与赞赏。应该承认,诸葛亮的德政与治才都是杰出的,不仅功业昭著,像后代史官陈寿所称许的,乃"识治之良才,管(仲)萧(何)之亚匹";而且在识才用才理论方面也卓有建树。他的《便宜十六策》《将苑》等论著,都是古代人才理论宝库中的重要财富。

现在,我们再来研究一下杨颙的批评意见的实际价值。诸葛丞相夙夜忧叹、寝不安席、食不甘味的忧国至诚,"鞠躬尽瘁,死而后已"的献身精神,实属可嘉可羡。他曾含泪诉说:"我不是不知道超脱一些好,但受先帝托孤之重,唯恐他人不像我那样尽心竭力啊!"耿耿赤心可鉴,我们应该予以充分理解。但是,也不能不看到,正是由于这样,他便巨细无遗,事必躬亲,以致对下属事务有些包办代替,结果过度操劳,心力交瘁,最后事与愿违,"出师未捷身先死,长使英雄泪满襟",为后世留下了无边的怅憾和深刻的教训。

史载,汉文帝问政于群臣,左丞相陈平答道:"陛下如果若问一年断狱几何,可以专找廷尉;要想了解一年收粮多少,应该咨之内史。至于丞相的职责,则是上佐天子,理阴阳,顺四时,下育万物之宜,外镇抚四夷诸侯,内亲附百姓,使卿大夫各得任其职。"在陈平看来,为政之道最关紧要的,就是明确上下责任,做到权责分明,各司其职。

领导科学告诉我们,高明的领导者,应该善于分清主次,正确处理事关全局的根本性工作与具体事务的关系,凡属应由下级来做的事,就要大胆放手,不能"越俎代庖",包揽一切。否则,势必陷入辛辛苦苦、忙忙碌碌的事务主义,既浪费了领导的宝贵时间和精力,又会助长下属的依赖性,反过来,更加重了自己的负担。道理很简单,就一个人来说,时间与精力毕竟是一个常数,有所不为才能有所为,谁也没有办法同时骑两匹马。假如硬要勉为其难,本末兼顾,细大不捐,其后果是可想而知的。

一千七百多年前,杨颙就提出了各司其职,上下不能相侵的科学见解,实属难能可贵。今天看来,它对于建立正常的工作秩序,正确发挥领导作用,实施科学管理,仍有不容忽视的现实意义。

垂戒千秋

辱井

王安石

结绮临春草一丘,尚残宫井戒千秋。
奢淫自是前王耻,不到龙沉亦可羞。

这是一首咏史诗。诗人说,陈朝末代皇帝所兴建的繁华富丽的结绮宫和临春宫,已经坍塌破败,成为荒草一丘;而那堪资警戒千秋万世的景阳宫的胭脂井("辱井"),至今却还残存地上。唉,骄奢淫佚自是陈后主的奇耻大辱,可是,作为追随者,隋炀帝杨广还没等到投井被俘之日到来,早就已经堪憎堪羞了!

写作咏史诗,不能只是重复史实,还须具有独具只眼的史识、史观,这就需要议论。王安石在这首诗中做得十分精彩。他在描述了豪华宫殿和辱井之后,紧接着就阐明了一条颠扑不破的人间至理——成由勤俭败由奢。这是治国理政的要诀,也是个人安身立命的根本。历史上的陈后主和隋炀帝,是前后两个亦步亦趋、荒淫奢侈的亡国之君。他们相隔不过二十九年,就相继辱国亡身,被永远钉在历史的耻辱柱上。

其实,在隋将韩擒虎攻入建康朱雀门,奢淫无度的陈后主与后妃投入景阳宫井藏匿被俘之日,作为行军主帅,杨广当时是亲见亲闻的。可是,待到他登上皇帝宝座,其奢靡淫乱更有甚于"前王"陈后主者。《隋书》本传称其"盛治宫室,穷极侈靡","淫荒无度","所至唯与后宫流连耽湎"。因此说:"不到龙沉亦可羞"了。

本诗持论严正,含意深远,风格沉郁,耐人寻味。

为醉生梦死者写照

鱼儿

王安石

绕岸车鸣水欲干,鱼儿相逐尚相欢。
无人挈入沧溟去,汝死那知天地宽!

在这首具有强烈现实针对性的政治讽喻诗中,诗人所要揭示的,是当时社会经济危机深重,矛盾纷纭,而大官僚统治集团却安于现状,醉生梦死,宴安鸩毒,全不思考如何改革,进行有效救治的问题。

诗人的意图很明确,但是,如果就这么直白地表述出来,那就成了一份奏表或者策论了,根本谈不上是诗。诗须比兴,形象具足。即使是议论,也要托物寄怀,"意在言外,使人思而得之"(司马光语)。且看王安石是怎样处理的——

诗中说,伴随着水车昼夜不停的轰响,池塘里的水眼看着就要干可见底了。可是,水里的鱼儿却还全然不觉,只顾贪欢嬉游,悠然度日。真真可怜的鱼儿!如果没有人把你们带到波涛万顷的沧海中去,可能是到死也不知外边世界的海阔天宽!

这使人想起《法华经·火宅喻》的故事:国都王城附近的村落里,住着一位长者,他已年迈力衰,但资财万贯,田宅广布。他的庄园

宋代 | 63

面积广大,房舍很多,却都年久失修,梁柱朽腐,墙壁破裂,危在旦夕。一天,庄园突然起火,宅舍开始燃烧,可长者二三十个年幼无知的子女还在房舍中玩耍。眼看灾难就要降临,他们竟然一点儿也不惊慌,也不害怕,就像无事一样。长者便向他们说明火灾的危害,让他们立刻跑出来避难;但子女们既不相信,也不惊慌害怕,仍然沉溺于娱乐玩耍之中,还若无其事地不时地抬头望望他们的父亲。

与佛家经典意在指点愚迷,抱着同一目的;不同的是,作为政治家的诗人,他所着意的是借着鱼儿沉酣不醒、浑浑噩噩的悲剧,恻然致慨于那些眼界狭窄、昏憒无知的高层统治者,而并非一般的普度众生。高远的识见、深刻的哲理、良苦的用心,隐现在黯然悯怀、直至"击一猛掌"之中,含蓄与警策熔于一炉,手法十分高妙。

平中见奇

题张司业诗

王安石

苏州司业诗名老,乐府皆言妙入神。
看似寻常最奇崛,成如容易却艰辛。

唐代诗人张籍,因为曾任国子监司业,所以被称为"张司业"。他所作的《秋思》:"洛阳城里见秋风,欲作家书意万重。复恐匆匆说不尽,行人临发又开封。"受到了王安石的激烈赞赏,并以"看似寻常最奇崛"一语概之,既切实际,更饶警策。而张籍所写的乐府诗,更是妙绪如神,甚至连白居易、元微之这样的大诗人都受到了他的影响。

"奇崛"也者,瑰伟不凡是也,它与"寻常"相互对应。一般看去,二者分处两极,难于相容;可是,如以辩证思维分析,则是对立而又统一,交融互换,相反相成;当然,这里需要一定条件。清人贺贻孙有言:"吾尝谓眼前寻常景,家人琐俗事,说得明白,便是惊人之句。盖人所易道,即人之所不能道也";"古今必传之诗,虽极平常,必有一段精光闪烁,使人不敢以平常目之。及其奇怪,则亦了不异人意耳。乃知奇、平二字,分拆不得"。

其实，寻常抑或奇崛，还有一个从什么视角、按什么标准加以认识的问题。明代学者李贽指出："世人厌平常而喜新奇，不知言天下之至新奇，莫过于平常也。日月常而千古常新，布帛菽粟常而寒能暖、饥能饱，又何其奇也！是新奇正在于平常。世人不察，反于平常之外觅新奇，是岂得谓之新奇乎？"

诗人准确地评价了张籍乐府诗的成就，也在很大程度上体现了诗文创作的规律，里面蕴含着深刻的哲理。这种哲理不仅适用于诗文创作，对于观察事物、解读人生、认知规律，同样具有普适性的价值。

游戏之道

棋

王安石

莫将戏事扰真情,且可随缘道我赢。
战罢两奁分白黑,一枰何处有亏成。

这是一首格调清新、饶有趣味的即兴诗。作者公余之暇,下过了围棋,面对棋盘,想起棋战中那样丝丝计较,拼力争斗,不依不饶,最后闹得不欢而散,觉得实在是无益而且无谓的。于是,援笔写下了这首七绝。

诗中说,下棋只是游戏,不要让这种区区小事扰乱了我们的真情,且可以随缘随兴地看待彼此的输赢。试想,当一局过去,两盒棋子各自归队,黑还是黑,白还是白,面对着一张空空如也的棋盘,又从哪里去察看、分辨成败与亏盈呢!

王安石酷嗜围棋,宋·范正敏《遯斋闲览》中说他,"每与人对局,未尝致思,随手疾应,觉其势将败,便敛局曰:'本图适兴忘虑,反至苦思劳神,不如其已。'"可见,王安石仅仅是把下棋当作一种消遣手段,因而在对弈中,经常是漫不经心,随于落子。

这自有他的道理。单就下棋这种游戏来说,不过是以人为的规

宋代 | 67

则,使人们随兴消遣,从中获得某种乐趣,原不必认真、执着。如果沉溺于这种人为规则所导致的胜负,动辄血火交迸,电掣雷轰,那就会损伤真情至性,不徒无益,实则有害,可谓得不偿失。

若是再推演开去,纵观人间世事,即便达不到庄子所说的"吾身非吾有也""忘己""丧我"的层次,达不到"以道观之,物无贵贱""人间万事,毫发常重泰山轻"的认识高度,起码也有助于破除井蛙式的"拘墟之见",免除名利挂牵,减少物欲干扰,去掉计较心理。从这个意义来看,本诗的认识价值与现实警示作用,是颇堪重视的。

机心机事不相干

赐也

王安石

赐也能言未识真,误将心许汉阴人。
桔槔俯仰妨何事?抱瓮区区老此身。

史载,北宋仁宗时,宰相晏殊观看了一场上竿杂技的表演,心有所感,便题诗在中书厅内。诗是一首七绝:"百尺竿头袅袅身,足腾跟倒骇旁人。汉阴有叟君知否?抱瓮区区亦未贫。"王安石看到后,知道这是以批判杂技弄巧为由头,讥刺他所施行的变法新政的。遂依韵作和,予以反驳,题曰《赐也》,并把它悬挂在晏诗的后面。

两首咏史诗,含义不同,可说是针锋相对,但都引用了汉阴抱瓮老人的典故。典出《庄子·天地篇》,说的是:孔子的弟子子贡,路过汉阴这个地方,遇见一个种菜的老人抱瓮汲水灌园,用力甚多而收效甚少。子贡便问他:为什么不用桔槔(利用杠杆原理,一端挂上水桶,一端坠以石块,一起一落,汲水可以省力)引水呢?老人说:桔槔是种机巧的工具,用了它,会助长人的机巧心思,所谓"有机事者,必有机心"。素以能言善辩著称的子贡,听了大为赞赏。

王安石诗中借子贡"误将心许汉阴人",对晏殊等守旧派人物坚守旧制，反对变革的思想，进行了隐晦而深刻的批判。首句对子贡作出未能认识真正道理（"未识真"）的概括性结论，否定他是"能言善辩"者；次句紧接着就拿出例证来，为首句作注脚；第三句以"妨何事"反问，通过摆事实讲道理，驳斥所谓"有机事者，必有机心"的说法，就是说，二者之间不存在因果关系。末句落到抱瓮老人身上，语句含讥带诮。"区区"，意为微不足道。一说，"区区"同"妁妁"，喜乐自得的样子。

逝者如斯

松江

王安石

来时还似去时天,欲道来时已惘然。
只有松江桥下水,无情长送去来船。

松江在今上海西南部,古称华亭,唐时建县,历代诗人吟咏甚多。从王安石留下的七律、七绝中,可知他不止一次到此。

诗人在这首诗里,凭借书写重回故地的心灵感受,表达他对世事人生的哲理性思考。

诗中略带感伤的意味,说,我来了又去了,现又重新回来。就节候来看,两相比较,似乎没有什么变化;可是,若是说说从前来到此间的情景和心中的感觉,却又有些恍惚、茫然。如同当年李商隐所说的:"此情可待成追忆,只是当时已惘然。"人生就是如此,去来不定、变化多端,不胜今昔之感。要说没有变化的,恐怕只有桥下的流水了,终朝每日,总是那样不带一丝情感,迎来送走过往的船只。

当代著名学者叶嘉莹教授,在解读这首诗时,认为可以同作者的另一首七绝参看,两诗意蕴比较接近:"桐乡山远复川长,紫翠连城碧满隍。今日桐乡谁爱我,当时我自爱桐乡。"诗人说他当年曾经在这里做过主官,爱过这里的人民,关怀过他们,但是现在已经没有一个人认识他了。为了加深对这首诗的理解,叶教授同时还引证了欧阳修的《采桑子》词:"平生为爱西湖好,来拥朱轮。富贵浮云,俯仰流年二十春。归来恰似辽东鹤,城郭人民,触目皆新,谁识当年旧主人。"

"谁识当年旧主人",与"今日桐乡谁爱我""只有松江桥下水,无情长送去来船",说的都是重游旧地,物是人非,其间确有本质上的联系,也蕴含着意兴悠然的哲思。

杂着泪痕的谐谑

自古

刘攽①

自古边功缘底事?多因嬖幸欲封侯。
不如直与黄金印,惜取沙场万髑髅。

咏史诗大体有述古、怀古、史论史评三种类型,本诗属于史论史评一类。史论史评,自然离不开议论。为此,诗人首先设问:自古以来,那些封建王朝,为什么要去开疆辟土、建立边功呢?然后自答:大多是由于皇帝的嬖幸(幸臣、亲信)要封侯啊!然后,由此引发出一通议论、一番感慨:既然如此,那真不如干脆就把黄金大印直接交给他们好了,那能免去千千万万的无辜生灵死于战争。

关于此诗立论的依据,南宋·周密所撰《齐东野语》指出,《自古》一诗,"其意盖指当时王韶、李宪辈耳。而其说则出于温公论李广利曰:'武帝欲侯宠姬李氏,而使广利将兵伐宛。其意以为非有功不侯,不欲负高帝之约。夫军旅大事,国之安危、民之生死系焉。苟为不择贤愚,欲徼倖咫尺之功,借以为名,而私其所爱,不若无功而侯

---

① 刘攽(1023—1089),宋庆历年间进士,著名史学家,曾协助司马光修《资治通鉴》两汉部分。

之为愈也。'"

王韶、李宪是宋神宗时期的两员战将,既有勋劳,亦蒙"贪功饰过"之讥,他们虽能拓地降敌,而罔上害民,终贻祸患。"温公"为司马光,他的这番话大意是,汉武帝想要封宠姬李夫人的长兄李广利为侯,但考虑到当年高祖有"非有功不侯"之约法,便派他率师出征大宛。可是,战绩平庸,死伤战士无数,最后,还是封为海西侯了。司马光批评这一做法,说:"军旅大事,国之安危、民之生死系焉",怎能"不择贤愚""私其所爱"呢?若是那样,真还不如干脆别立那个功,直接就封侯好了。刘攽这首诗完全袭用了司马光的说法,却以谐谑出之。

说到谐谑,忽然记起这样一则趣事:

南宋·徐度《却扫编》记载,一天,刘攽去拜访王安石,正赶上主人在饭厅进膳,便由小吏安排到书房坐候。刘攽见砚池下压着一份草稿,顺手翻看,原来是一篇谈论兵法的文章。他的记忆力极强,读罢,又把它放回原处。他考虑到,自己是以下属身份求见的,径入书房,又偷看了人家未曾公开的文稿,未免有失礼仪,便退到厅堂旁的厢房里等候。待王安石吃完饭走下厅来,才又跟随着主人到书房里,重新就座。两人交谈了很久,安石忽然问起:"你近来可曾写些文章?"刘攽狡黠地眨了眨眼睛,有意开个玩笑,便说:"写了一篇《兵论》,刚刚打个草稿,尚未最后完成。"安石原本是随意问了一句,没想到他人也在研索用兵之道,便颇感兴趣地请他谈谈《兵论》中涉及的主要内容。事已至此,刘攽只好一路敷衍下去,就把刚才看过的安石原稿中的观点作为自己的见解加以回答。安石听了,感到有些沮丧。送走了客人之后,回到书房,取出原稿,看了一过,便把它撕个粉碎。原来,王安石平时制作文字,发表议论,为了出人意表,总要提出一些新的见解,体现自己的独创精神。所以,当他发现自己的作品竟与他人的暗合,便认为没有存留的价值了。

你看这位刘老先生，自己袭用了时贤的论点，由于有所发挥，有所创造，这倒没有什么；但是，万不该把王安石的著作毁了。这岂不是"麻子不是麻子——纯粹是坑人"！难怪《宋史·本传》说他："为人疏俊，不修威仪，喜谐谑，数用以招怨悔，终不能改。"作者以"善谐谑"著称，从此诗中也可以看到这个特点。当然，这里的谐谑，却不同凡响，其中有愤激，有遣责，有血迹，有泪痕。

当代青年学者王继敏指出，刘攽的咏史诗，重视立意，通过咏史来表达自己对史事的判断，或角度新颖，或见识高超，均贯穿了其作为一个史学家的思考。其咏秦汉史往往能联系前因后果，总结历史规律，体现出一种厚重的历史感，这与其精熟两汉史有关。在写作方法上，刘攽的咏史诗熔铸了史论的议论方式，除了艺术手法上借鉴了假设、对比和铺陈，内容上也时常做翻案文章，体现出"以议论为诗"的特点。再加上诗人以强烈的史家意识进行创作，无论是史论还是咏史诗都有贯通古今、浑然磅礴的气势，与同时代诗人相比，取得较大的成就。

来 时 路

蝇子透窗偈

守端①

为爱寻光纸上钻,不能透处几多般。
忽然撞着来时路,始觉平生被眼瞒。

　　这首著名的偈子(佛经中的唱词),见载宋代诗僧惠洪《林间录》。以蝇子钻窗来比喻修禅求佛之理,生动形象,而且充满哲理,耐人寻味。
　　诗中描述,从外面钻进屋内的一只蝇子,出于趋光性的本能,扑在窗纸上,半天半天地往复探索,却怎么也穿不透窗纸,钻不出去。探着探着,突然间,碰上了原来的纸洞,这才恍然大悟:只要顺着来路返回就可以了,怎么就忽略了这一点呢!原来,竟是一向只习惯于用眼睛而不长于动脑子所造成的。"始觉平生被眼瞒",洵为人生的悟道之言。
　　诗人通过这个寓言式的故事,形象生动地阐述了禅宗南宗的顿悟学说,批判了那种捧着佛书经典,只是死啃硬背,而不去用心体悟

---

① 守端(1025—1072),即白云端禅师,宋代诗僧。佛学上颇有造诣,名望甚高,善于讲经,门徒众多。

的做法。研索其意蕴,可以参看唐代诗僧神赞的《蜂子投窗诗》:"空门不肯出,投窗也太痴。百年钻故纸,何日出头时。"

但守端诗大大地深化了主题意旨,就中有两个关键词:一是"来时路"。提醒人们不能忘记初心,不能忘记本源;同时,对于禅宗来说,起点即是终点,生命的起源亦即死亡的开始,以前的路也是将来的路。二是"被眼瞒"(为眼睛所蒙蔽)。这里反映了眼睛与心灵、表象与本质、感性与理性的关系。面对纷繁万状的眼前事物,人们容易迷惑于现象,而放弃思索,忽略自省,忘却反思,失去内在。

通篇说的是空门之悟——摆脱迷网,即可得大自在。惠洪在《林间录》中有赞语:"予谓此老笔端有口,故多说少说,皆无剩语(赘冗多余之语)。"守端有《白云禅师语录》传世,诗也写得很好。七绝云:"岭上白云舒复卷,天边皓月去还来。低头却入茅檐下,不觉呵呵笑几回。"

莫失本我

百舌

张舜民①

学尽百禽语,终无自己声。
深山乔木底,缄口过平生。

由于百舌声音婉转动听,"能反复如百鸟之音"(《本草·释名》),因而,自古以来就受到诗人的青睐。有的称赞它:"高飞凭力致,巧啭任天姿"(祖咏);有的设想:"此禽轻巧少同伦,我听长疑舌满身"(严郾);更有诗人因其"晓语月斜树,昼啼春霁天",终日不停地鸣啭,竟臆测它,"胸中自有激,不是故多言"(张耒)。

可是,诗人张舜民却别出心裁,对百舌予以辛辣的讥刺,说,百舌鸟很聪明,能模仿各种鸣禽的叫声,遗憾的是,尽管鸣声变化多端,婉转动听,却没有一样是属于自己的。与其这样,还真不如隐身于深山密林之中,缄默无言,过尽一生。

当然,明眼人一看便知,并非他真的和百舌过不去,只不过是借以说事,意在嘲讽、斥责那类只知模仿,不会创新,学遍别人风格,却

---

① 张舜民(约1034—1100),宋治平年间进士。与苏轼友善,作诗师法白居易。

没有自己个性,终朝每日逢场作戏而丧失本我的人。

从《诗经》开始,中国古代诗人即运用诗歌形式来警世教人,这种以咏物为载体的讽喻诗,是其典型的一种。它的特点,是缘事缘情而发,即事抒怀论理。诗人通过对喻体的描写与议论,曲折委婉地揭露与讽刺社会上的某些现象,以针砭人情世态。由于内容广泛,形象鲜明,立意深刻,手法灵活,具有深刻的现实性,在历代诗坛中都占据重要一席,深受广大读者的喜爱。

雪泥鸿爪

和子由渑池怀旧

苏轼①

人生到处知何似?应似飞鸿踏雪泥。
泥上偶然留指爪,鸿飞那复计东西。
老僧已死成新塔,坏壁无由见旧题。
往日崎岖还记否?路长人困蹇驴嘶。

宋仁宗嘉祐六年(1061年)冬,苏轼在汴京考中制科第三等,授大理评事凤翔府(在今陕西)签判。十一月动身赴任,其弟苏辙(字子由)送至郑州,分手后,作《怀渑池寄子瞻兄》七律。本诗为苏轼的和作。原诗与和诗的题目中,都提到了"渑池"。原来,五年前,兄弟二人一同赴汴京应举,曾路经渑池(在今河南),借宿于奉闲僧舍,并皆题诗寺壁。子由诗中有"旧宿僧房壁共题"之句,即指此。

本诗为苏轼早年作品,是一首著名的哲理诗。前四句,巧妙地以形象、生动、新颖、奇警的鸿、雪意象,譬喻人生漂泊无定、聚散难凭的经历,蕴含着深刻的哲思,此为全诗的重心所在。说它"巧妙",在于

---

① 苏轼(1037—1101),号东坡居士。宋嘉祐年间进士。"唐宋八大家"之一。诗词、散文、书画自成一派,均有极高成就,是名副其实的艺术全才。

苏辙原诗"共道长途怕雪泥"之句,只是忆及当时旅途泥泞难行,充其量是暗喻人生道路、生命历程之艰难;而苏轼则机敏地把"雪泥"作为一种文学意象,抒写鸿雁偶然踏在雪泥上留下爪痕之后,已经飘然远引,根本没有考虑、也没有人知道它究竟飞往何处,说明人生去来无定、聚散偶然、命途难测、遇合无期。这样,就把普通至极的事物,化作"雪泥鸿爪"的深刻的哲学命题,堪称是"点石成金"的神来之笔。

后四句照应"怀旧"诗题,通过回忆前尘往事,认证并深化诗中蕴含的哲理性认识。旧事两桩:其一,当年过渑池时,那位热情接待他们的奉闲老和尚已经圆寂了,留下了一座贮藏骨灰的新塔;而他们共同题诗的寺壁已经坍塌,因而也就无从再见旧时的墨迹了。人们惯说"物是人非",时间仅仅过去五年,竟然不只人非,物亦非了。死者形迹的转换和生者墨迹的消失,两相映衬,言下不无感伤意味。而这恰恰印证了前面的哲思——人生多故,世事无常,一如雪泥上留下的鸿爪,雪化泥消,爪痕荡然无存,更不要说漂泊无定的飞鸿了。旧事之二,那次进京赴考时骑的马,半路上死了,只好换乘一头毛驴到了渑池。山路崎岖,路程遥远,瘦弱的毛驴累得嘶叫不停。诗中既有对人生萍踪不定、鸿迹杳然的怆然怅惘,又有对骨肉情深的往事追怀与眷念;在张扬着温馨的亲情和浓郁的诗意的同时,以鲜活灵动的意象反映哲思理趣,寄意深沉,让人产生共鸣。

明理,叙事,状景,抒情,这是诗共有的功能。好的哲理诗,应是诗人以审美方式把握道理而创造出一种特殊艺术境界或审美感受。为此,清人沈德潜有"诗不能离理,然贵有理趣,不贵下理语"之说(见《国朝诗别裁·凡例》)。而钱锺书先生更是"金针度人",不仅提出要求,并且翔实地指点方法:"词章异乎义理,敷陈形而上者,必以形而下者拟示之,取譬拈例,行空而复点地,庶几接引读者。"坡公此诗,可说是一个典型的范例。

关于本诗的艺术表现技巧,可说的话也很多。比如,一开头,就别开生面,突兀地提出一个颇带哲理性的人生课题,接下来便给出一个生动形象的答案,尔后便一路递接下去。这种写法比较特别。再就是,所谓"唐人旧格"的"单行入律"(清·纪昀语)问题。律诗三、四两句,一般应是字句与意蕴都两两相对,而此诗则是似对仗又不似对仗,或者说,文字看似对仗,而意蕴并不对仗,只是承接上面意思径直地说下去。这样做的好处,是可收关合流转、一气贯通之效。

应用现代阐释学的理论,我们还可以从"泥上偶然留指爪,鸿飞那复计东西"两句诗,联想到作者、文本与读者的关系。飞鸿在泥上偶然留下指爪便飘然离去,这有如诗人、作家留下作品以后,不仅行迹"不计东西",文本更是处于永远开放状态,任凭时人与后人去读解、阐释,不断地嫁接、移入、填充新的理解、新的意义了。

视角的选择

题西林壁

苏轼

横看成岭侧成峰,远近高低各不同。
不识庐山真面目,只缘身在此山中。

诗人于神宗元丰七年,由黄州贬所改迁汝州(在今河南省),途经江州,因游庐山。此诗是在遍游庐山之后,带有总结性的咏怀,题在庐山乾明寺(又称西林寺)壁上。

诗中说,同一个庐山,从正面、侧面看,从远处、近处看,从高处、低处看,各有不同的形态、不同的感觉、不同的发现。视角不同,结论各异,这本身就富有哲理。可是,诗人并没有停留在这个层面上,而是进一步深化题旨——这种视觉现象的形成,并不在于庐山本身,乃是由于观察者所处位置的不同。这样,又提出了一个要获取正确认识,须持客观立场的问题,就是说,由于观察者"身在此山中",无法摆脱所处位置的局限,只能从各自的角度看到一些局部现象。那么,如何才能认识"庐山真面目"呢?回答是:必须站在此山之外,所谓"跳出庐山看庐山",也就是"当局者迷,旁观者清"。

诗中反映出整体与部分、宏观与微观、综合与分析等多重概念。

这里有个视角问题。可以说,哲学研索本身就是一种视角的选择,视角不同,阐释出来的道理就完全不同。视角、眼光和立足点,是紧密地联系在一起的。

本诗确实提出了观景、赏景的问题,如横看、竖看、远看、近看、高看、低看,成岭、成峰,因人成相,各自不同;但它的妙处,却并不反映在抒情、写景方面,而在于启发思考,阐发意蕴,解悟理趣。作为一首哲理诗,讲道理,发议论,谈见解,都属常态;但苏长公却别辟蹊径,从游山所见出发,对由于视角不同所产生的视觉印象加以提炼,形成自己的富有深邃哲理的独特感受,再用形象的语言表达出来。这样,在理解、欣赏过程中,读者可以结合自身的心理感受、生命体验、生活经验去联想,去玩味,去把握,既切合实际,又亲切自然。

主客二分

琴诗

苏轼

若言琴上有琴声,放在匣中何不鸣?
若言声在指头上,何不于君指上听?

在这首富于理趣的诗中,诗人通过两个反问,启发人们认识产生艺术美的主客观条件这一美学问题。它以弹琴为喻:作为一个多元的有机整体,美妙的琴声是由若干相互影响、相互制约的要素构成的,它们相生相发,缺一不可。琴是基础性的客观条件,当然十分关键,但绝不能说,只要有了精美的琴就可以了。坡公问得好:"放在匣中何不鸣?"就是说,还必须依赖主观条件。最根本的是技艺娴熟的操琴者,要有熟练而灵巧的手指,有饱满充沛的情感,甚至需要一定的艺术修养和精神境界。只有各个方面很好地加以配合,才能演奏出美妙的乐曲。佛学经典《楞严经》有一段话:"譬如琴瑟、箜篌、琵琶,虽有妙音,若无妙指,终不能发。"坡公的《琴诗》,恰是此语的形象化确解。

其实,何止弹琴一事,任何事业的成功,都是客观条件与主观能动性相互统一的结果,都需要多重因素相互配合,相辅相成。唯物辩证法认为,普遍联系的根本内容,就是事物内部和事物之间的矛盾双方的联系。《琴诗》语虽俚俗,意义却至为深远。清代诗话《昭昧詹言》中指出:"坡公之诗,每于终篇之外,恒有远境。"于兹可见。

上升为哲学理论,就是"主客二分",这是科学世界观的基础性问题。前面说,主客统一,主客观因素相辅相成,都是以它们的各自存在为前提的;而当代一些西方哲学家,却极力否定"主客二分",主张客体依存主体,主客一体,彼此无须区分,认为这样才消除了主客对立。"其实,主客一体论是一种思辨空论",当代哲学家陈先达指出,"实际生活中这个问题早就解决了。在实际认识中,人总是以主体的地位同他周围的世界相互作用的,不管是否意识到或承认与否,全部实践和认识活动,都是主客二分的。"从《琴诗》中我们可以自然地引申出这一结论。

履险如夷

慈湖夹阻风(选一)

苏轼

卧看落月横千丈,起唤清风过半帆。
且并水村欹侧过,人间何处不巉岩!

　　诗人于哲宗绍圣元年六月,被贬英州(今广东英德县),南行乘船至当涂县北慈湖夹时,为风浪所阻,遂有此诗。
　　诗人躺在船上,气定神闲地观看着天边月落的地方,云横千丈,一色皎然,啊!天将破晓了。这时,但见经验丰富的老船工急急爬将起来,观察一通四周的风势,而后紧急呼啸,借得半帆清风,迅速开船赶路。行进中,前方突然进入了江流险段,老船工处变不惊,暂且傍着("并")临江的小村,驾船行驶,倾斜摇荡着渡过了险滩。应该说,这是冒着很大的风险的。但仔细一想,要说风险又何止此处,人世间哪里不是满布着峭壁危岩呢!
　　最后这句:"人间何处不巉岩",洵为诗人的椎心泣血之语。既是此次艰险旅程的真实写照,更是他仕途中屡遭贬谪、历经忧患的概括性、形象化的书写,体现了诗人旷怀达观、履险如夷的精神境界和直面现实、不避艰险,随遇而安的人生态度。诚如清·汪师韩在《苏诗选评笺释》中所言:"荒湾旅泊,却写得即事可喜。读此数诗,足以豁尘襟而通静照矣。"

就艺术表现来说,本诗也颇有特点,寓哲理于形象之中,借助日常景物表现作者精神世界与心路历程,十分自然贴切。

持盈保泰

骊山三绝句(选一)

苏轼

功成惟欲善持盈,可叹前王恃太平。
辛苦骊山山下土,阿房才废又华清!

诗中即景咏史,通过追忆周、秦、汉、唐历代史事,批判了王朝统治者的骄奢淫逸、误国害民的暴政,进而总结出惨痛教训,对当代君王提出告诫。

"持盈"二字,为全诗之主旨。它的本义,是保守成业。语本《老子》:"持而盈之,不如其已;揣而锐之,不可长保。"大意是,执持盈满,不如适时停止;显露锋芒,锐势难以保持长久。相近的成语,还有"持盈守成""持盈保泰"等,都是讲成功之后要善于保持已有的盛业,谨慎谦虚,安不忘危。

为此,本诗一开头,就提出这个重大的问题;接下来,陡然一转——可是前代一些帝王,却倚仗着暂时的太平无事,骄奢无度,纵情淫乐,大兴土木。这样一来,可就使得骊山下的土地无法得到安宁了,秦始皇建了十五年的阿房宫被烧毁了,唐玄宗于开元十年,又在那里盖起了华清宫,宠幸杨贵妃,偏信杨国忠,最后酿成了"安史

宋代 | 89

之乱"。

寥寥二十八字,为历朝历代有国者提出了带有普遍性、现实性的严肃课题:如何在成功之后,能够居安思危,清慎自守,持盈保泰,过好胜利这一关?诗人寓庄于谐,深沉的意蕴以幽默出之,更加耐人寻味。

一饱足矣

撷菜

苏轼

秋来霜露满东园,芦菔生儿芥有孙。
我与何曾同一饱,不知何苦食鸡豚!

哲宗绍圣三年,诗人被贬到惠州,写了这首题为《撷菜》的七绝。诗的前面有个"小引",说他跟一位姓王的参军借了不足半亩的土地,种上了菜,一整年内,和儿子苏过的三餐菜肴都充足了。有时夜半喝醉了,没有解酒的,便到菜园里采摘蔬菜煮食。夹带着泥土芬芳,饱含着霜露水汽,即使是上等滋味的肉品也比不上。这些蔬菜大可以满足人生所需了,又何必再去贪求精美的佳肴呢?

本诗可说是这种有趣生活的诗化纪实。前两句写景叙事,为下面的议论做铺垫。说,入秋以来,随着霜露的普降,东园里的菜蔬长得十分茂盛,萝卜、芥菜可说是儿孙满堂了。后两句抒怀、议论,说我和晋代骄奢无度的何曾同样都只求腹中一饱,不知他何苦来的,非要吃鲜鸡肥豚不可!意思是,粗粮青菜蛮好,人生贵在随遇而安,不应该奢侈无度。末句用反问的语气表示不值得,反映出对何曾骄奢淫逸的鄙视。

自己构成自己

野人庐

苏轼

少年辛苦事犁锄,刚厌青山绕故居。
老觉华堂无意味,却须时到野人庐。

　　这是一首唱和诗。熙宁八年,北宋著名画家、苏轼的挚友文同(字与可),徙知陕西汉中的洋州,作《洋川园池三十首》,其中第二十六首《野人庐》云:"萧条野人庐,篱巷杂蓬苇。每一过衡门,归心为之起。"苏轼与其弟苏辙均有和诗。
　　苏轼在诗中应和着文同的"每一过衡门,归心为之起"的说法,谈到自己的现实感受。他说,年轻的时候住在农村,每天辛辛苦苦地操犁把锄,心里总是想望着能够早一点脱离这种环境。本来,青山环绕的故居农舍非常清静、舒适,可是,那时却偏偏觉得讨厌("刚厌")。及至进入老境,风光阅尽,世事洞明,才觉得城里的华美的官舍,其实并没有什么意味,倒是应该经常到田夫野老家里去重温旧绪,感悟真诚。诗人通过日常生活中思想、心态的变化,抒写一种含蕴深刻的生命体验。语句看似平易,却真实亲切,意蕴深长,富含哲理,读了令人感同身受。

对于一个封建时代的士大夫,而且又是光耀千古的文学全才、艺术天才,实现这种精神上的嬗变,绝非偶然,可说具有一定的典型意义,因此,需要予以深入研究。这里存在一个智者在生活历练中的超越问题。苏轼自幼生活在农村,"家世至寒","少年辛苦事犁锄",因而不仅深深同情劳苦大众,而且对农村也比较熟悉,具有一定的思想感情。而他的个性,又崇尚自然,放情山水,用他自己的话说,"野性犹同纵壑鱼","胸中廓然无一物,即天壤之内,山川草木虫鱼之类,皆是供我家乐事也"。特别是凭借着智慧的头脑、超常的悟性,出入儒道,濡染佛禅,再加上四十余年坎坷仕途的丰富阅历、悲剧生涯,从而实现了黑格尔所说的"自己构成自己"的思想超越。这一切,都是他此诗写作的思想基础。

式微,式微,胡不归?

山村五绝(之五)

苏轼

窃禄忘归我自羞,丰年底事汝忧愁?
不须更待飞鸢堕,方念平生马少游。

《山村五绝》写作于神宗熙宁六年,东坡时在杭州。诗中对王安石新法有所讥讽,结果被蓄意倾陷他的一些人罗织罪名,连同其他一些诗文,告到朝廷,就中有"包藏祸心,怨望其上,讪渎谩骂,而无复人臣之节者"的话。本诗为五绝中最后一首。

诗中与其胞弟子由坦诚地交流了心事。前两句说,多年来,我无功受禄,贪位恋栈,自己感到羞惭,不能自适,这是很自然的;那么,值此年丰岁熟之际,你又为了什么而有所忧愁呢?后面两句,引用《后汉书》中马援兄弟的故实,说,不用等到"飞鸢堕水"的艰险处境,自己早就想到马少游的告诫,准备引退了。

"飞鸢堕水",出自马援的一席话:"当吾在浪泊、西里间,虏未灭之时,下潦上雾,毒气重蒸,仰视飞鸢跕跕(飞鸟坠落状态)堕水中,卧念少游平生时语,何可得也!"此前,其从弟马少游曾劝告他,但求衣食足用,不必追求高官厚禄,自讨苦吃。看得出来,此刻,马援对于功名之累已经有所认识;但时隔不久,湘西南"五溪蛮"暴动,年已六十有二的他,又主动请缨,前往讨伐,结果遭遇酷暑,士兵多患疾疫,他本人也染病身死。设想如果他能知足知止,见好就收,何以至此!待到"飞鸢堕",才想到从弟的劝告,已经为时过晚;而马援却是"飞鸢堕"后,再次自投"网罗",确实是一个典型的悲剧人物。"不须更待飞鸢堕,方念平生马少游。"也就成了千秋悟道之言,但真正能够记取并且践行的,其实也未必很多。

诗人初到杭州,即曾为诗以寄子由,有"眼前时事力难任,贪恋君恩退未能"之句,这里又说"窃禄忘归我自羞",一再提醒自己,宦途艰难,朝政险恶,不可贪恋禄位,应该早作归计。子由见到此诗,当即奉和,诗云:"贫贱终身未要羞,山林难处便堪愁。近来南海波尤恶,未许乘桴自在游。"意思是,眼前的政治风波,涛惊浪恶,大概你想退隐全身,恐怕也很难做到。果然,不久,东坡就遭到了控告、诬陷。

这里的"飞鸢堕"与"乘桴"(孔子说,主张行不通了,我想坐个木筏到海外去。事见《论语》),都是用典,亦称"用事"。它的作用是:"据事以类义,援古以证今"(《文心雕龙》),即是用来以古比今,以古证今,借古抒怀,既可加重、丰富诗文的内涵,又能避免粗浅与直白。清人赵翼有言:"古事已成典故,则一典已自有一意。作诗者借彼之意,写我之情,自然倍觉深厚,此后代诗人不得不用书卷也。"但用典乃是一门学问,讲究颇多,要求既师其意,又能于古里翻新,而且,意如己出,不露痕迹。

由诗中的"窃禄忘归"一语,我蓦然联想起《诗经·邶风》中的一首诗:"式微,式微,胡不归?微君之故,胡为乎中露?式微,式微,胡不归?微君之躬,胡为乎泥中?"大意是:天渐渐黑了,天渐渐黑了,为什么还不回家呢?原因都在于勤劳王事;如果不是君王的差事重、差事苦,怎么会夜露湿衣,怎么会深陷泥涂呢?不知此刻,坡公是否也联想到了这首小诗？当然，即便是早经想到了，也只能以"我自羞"的婉语出之；不可能像远古先民那样，直来直去，表达其对统治者的压迫奴役的极端愤恨。

人有悲欢离合

中秋月

苏轼

暮云收尽溢清寒,银汉无声转玉盘。
此生此夜不长好,明月明年何处看?

本诗为《阳关词》三首之一,作于熙宁十年。诗人时在彭城(今江苏徐州),中秋观月,感而赋此。

开头两句,写目中所见:晚云散尽,碧空净洁如洗,流溢着一种清爽寒凉的气息;此刻,银河一脉静寂无声,玉盘般的盈盈月魄已然升起,在夜空中暗转着。面对如此凄美、清虚的中天月色,诗人不禁陡起苍凉之感,于是,很自然地转入了抒怀感叹。第三句,说的是世间盛景难留,"彩云易散琉璃碎";第四句,说的是人生聚散无常,行踪不定。两句都带有浓重的感伤意味。

这就涉及本诗的写作背景。原来,诗人于熙宁十一年,又曾作有《中秋月》三首,自注:"中秋有月,凡六年矣,惟去岁与子由会于此。"去岁,就是熙宁十年,兄弟聚首彭城,共庆中秋佳节,随手写下了本诗。

应该说,苏轼发抒此类慨叹,并非一时的情感冲动,他在诗词文赋中曾经多次流露出这种情怀,这种心境。比如,在七律《十月十五观月黄楼席上次韵》中,即有"为问登临好风景,明年还忆使君无"之句;而在《和子由山茶盛开》诗中,又再次发问:"雪里盛开知有意,明年开后更谁看?"还有《东栏梨花》中:"惆怅东栏一株雪,人生看得几清明。"《水调歌头》词中:"月有阴晴圆缺,人有悲欢离合,此事古难全。"《前赤壁赋》中:"哀吾生之须臾,羡长江之无穷。挟飞仙以遨游,抱明月而长终。知不可乎骤得,托遗响于悲风。"都属于同一情调。显然,这和他久经忧患,历尽颠折,长年苦度转徙无定、升沉难料的谪宦生涯,且又深受庄禅思想影响,有着直接关系。

当代学者吴企明指出,了解诗人的出处交游,把握诗人的深层心态,是欣赏本诗的关键;否则,对赏月作泛泛之谈,必然失之肤浅。诗中将中秋月圆与兄弟欢聚的人生美景契合起来,构成深邃的艺术意境;又由眼前景推想开去,对宇宙人生作出更为深入的思考。循着诗人的思路,我们才能欣赏第三句转笔的妙处,认识三、四句所发感慨的社会基因,真正领悟诗句中深刻的哲思理蕴。

原来不过如此

观潮

苏轼

庐山烟雨浙江潮,未到千般恨不消。
到得还来别无事,庐山烟雨浙江潮。

此诗,据说是苏轼临终时,给少子苏过手书的一道偈子,但也有人提出质疑。这个问题暂时可以悬置,还是先弄清诗本身的意蕴。

关于本诗的解读,有佛禅与世俗两种视角。前者比较有代表性的,是南怀瑾先生在《圆觉经略说》中所讲的:这是一种大彻大悟以后的境界。庐山风景太美了,钱塘潮非常壮观,这一辈子没有去的话,死了都不甘心,非去不可。等到到了庐山,又看到了钱塘潮,本地风光,圆明清净,悟道以后,就是这样。没有悟道以前,拼命地学佛呀!跑庙子呀!磕头呀!各种花样都来,要有功德,要怎么苦行都无所谓,要怎么刻薄自己都可以。"未到千般恨未消"啊!及至到来无一事,真的大彻大悟了。怎么样呢?"庐山烟雨浙江潮",原来如此。

这使人联想到《五灯会元》所载南宋黄龙派青原惟信禅师的一段著名语录:"老僧三十年前未参禅时,见山是山,见水是水。及至后来,亲见知识,有个入处,见山不是山,见水不是水。而今得个休歇处,依前见山只是山,见水只是水。"这里讲了三般见解,指的是禅悟的三个阶段,亦即入禅的三种境界。这与黑格尔所讲辩证法的"否定之否定",有相同的机理。最初境界与最后境界看似一样,其实已经发生了质的变化:最初的山水是纯自然的山水,而大开悟时的山水已经是禅悟的山水,禅与自然合而为一了。青原禅师这段语录与此诗确有相通之处,说不定是接受了东坡居士的启发与影响。

至于所谓"世俗"解读,也就是从非宗教的意义和朴素的人生立场来理解,更是众说纷纭,莫衷一是。骆玉明教授指出:"东坡诗的意思,是摆脱贪求和幻觉来看待事物,这时事物以自身存在的状态呈现自己,朴素而又单纯。《菜根谭》说:'文章做到极处,无有他奇,只是恰好;人品做到极处,无有他异,只是本然。'道理与此相通。"

其他比较有代表性的,认为依常情常理,人们都有好奇心,对充满神奇却尚未见到的东西总是刻意追逐,所谓"恨(遗憾)不消",正是指此。及至见过,心里的神秘感消失了,最后得出结论:原来不过如此。从报刊上看到过这样一段话:"那些在时光里淡淡地流逝了的种种聚散、悲喜,那些为了得到而付出的努力,那些为了成全而承受的隐忍,那些在理想和现实之间的徘徊和挣扎,那些含泪挥手笑着说的再见……磨灭了的是最初的殷勤和炽热,埋没了的是壮怀和渴望,最后剩下的是平静如水的淡泊,'到得还来别无事,庐山烟雨浙江潮'。"

依愚下之见:诗人本衷乃是借助一番胜景游历、烟雨洪潮两种意象、否定之否定螺旋式上升的三个阶段,记述其读书、实践中超越物象,实现禅悟的过程,以及豁然开悟之后所出现的空寂、淡泊的旷达心境。

事在人为一解

滟滪堆

方惟深[①]

湍流怪石碍通津,一一操舟若有神。
自是世间无好手,古来何事不由人!

自古以来,滟滪堆就屹立于波涛汹涌的江流中,当滔滔江水扑面而来,刹那间,波翻浪涌,水雾蒸腾,旋涡飞转,地动山摇,十里可闻雷鸣之声,形成了世所罕见的"滟滪回澜"的奇观。

诗人说,在怪石狞立、江流湍急,阻碍着往来通航的险恶情势下,勇敢机智的船工,以其卓绝的胆略和娴熟的技术,稳驾轻舟,安然驶过,简直像是有神灵护佑一般。看得出来,什么堆险流急,什么"如象""如马","勿上""勿下",关键是世间没有能够力挽狂澜的好手。其实,古往今来,人间万事,又有哪一样不是由人所摆布的!

诗人通过咏赞长江三峡上智勇双全的船工穿越激流险礁的惊人壮举,即事论理,阐明人在任何情况下,都不是无能为力、无所作为的道理,宣扬了事在人为、人定胜天的思想。

[①] 方惟深(1040—1122),宋代诗人。举进士不第,即弃去,与弟躬耕,清高自持,绝意仕进。

事由人定,今古无异,这是十分浅近又百试不爽的普遍哲理。也正是为此吧,当欲施新法的王安石看到此诗后,特别高兴,热烈赞赏。其时,王安石身居宰辅高位,且文名卓著,又年长方惟深十九岁。《中吴纪闻》记载:"子通最长于诗,凡有所作,王荆公读之,必称善,谓'深得唐人句法'。"由于他常把方诗写入方册,书于座右,以致有的编者,将其误收入荆公集中。

在有的选本上,此诗题为《过黯淡滩》。现按编成于北宋末年的《诗话总龟》勘定。

事在人为二解

直舍新辟西窗二首(选一)

孔武仲[①]

推倒西墙平日功,暑天饶作一窗风。
人间岂有炎凉隔,只在施为向背中。

  作者即事论理,从衙署的直(值)舍推墙开窗这件日常杂事中,悟出"事在人为"的处世哲理。
  诗中说,推倒西墙本是平日之功,不是什么大不了的事;可是,它换取来的却是溽暑炎蒸中凉风飒然而至的理想效果。看起来,人世间并没有绝对的炎凉界限,只在你如何措置,方法是否妥当,方向对不对头。
  唐代诗人聂夷中在一首小诗中阐述过这样的观点:"出处全在人,路亦无通塞。门前两条辙,何处去不得!""门前两条辙",就看走不走。为者常成,行者常至。行则塞者亦通,为则难者亦易。一部人类发展史,就是发挥人的主观能动性,发现和利用自然规律、社会规律,不断地改造客观世界,从必然王国向自由王国飞跃的历史。善于

[①] 孔武仲(1042—1097),自幼聪慧好学。宋嘉祐八年登进士第。与兄文仲、弟平仲俱以文名。

发现和利用条件,使之为自己的目标服务,这种有目的地能动地改造外部环境的能力,是人类区别于动物,而为人类所独有的。

人,脱离不开环境的影响。一个人生在这样而不是那样的时代和环境中,带有很大的偶然性,对于个人来说,是无法选择的。但是,环境只能起到一种制约和影响的作用,而并非决定性因素。环境对于人的影响,取决于个人如何对待它。对于献身事业、自强不息的人来说,再艰险的环境,再恶劣的条件,也阻挡不了他去开拓闪光的人生之路;而且,"艰难困苦,玉汝于成"。逆境成才,恰是中外人才史上一种带有规律性的现象。

托物寄讽

绝句

道潜①

高岩有鸟不知名,款语春风入户庭。
百舌黄鹂方用事,汝音虽好复谁听!

  本诗没有设题,只是以"绝句"相代。作者本意在于讽喻时事政治,却假托鸟儿来说事。说高高的山岩上,一种不知名字的鸟儿,软语温情地歌唱着,借助春风传入户庭,到达人们耳中。接下来,运用对话形式,对鸟儿说:在百舌、黄鹂得势的情况下,你唱得再好,也没有人听啊!愤懑不平之情,跃然纸上。

  这里值得特别注意的是第三句。为什么单点百舌、黄鹂?《汲冢·周书》中有"反舌(即百舌)有声,佞人在侧"之语;杜甫《百舌》诗中,也曾借此鸟托讽:"过时如发口,君侧有谗人。"本诗"方用事"云云,锋芒所向,正是朝中弄权用事的谄佞奸人。

  至于写鸟儿居于高岩而不为人知,一是暗喻有为之士身世清寒,无人汲引;一是表明品格高贵,遗世独立,迥异凡俗。

---

① 道潜(1043—1106),俗姓何,字参寥。北宋诗僧,能文章,尤喜为诗,与苏轼、秦观友善。

道潜虽为方外之士，但他关心政治，仗义执言。苏轼因"乌台诗案"入狱后，他也受到牵连，结果被勒令还俗，后经昭雪，复削发为僧。苏轼的儿子苏过在《送参寥道人（即道潜）南归叙》中，说他"性刚狷不能容物，又善触忌讳，取憎于世，然未尝以一毫自挫也"。从这首诗中，亦能看出他的这一性格特点。

但是，他也十分幽默有趣。《侯鲭录》载：苏轼在彭城（今徐州）时，道潜从杭州特地去拜访他。在酒席上，苏轼想跟他开开玩笑，就召来一个妓女，去向他讨诗。道潜当即口占一绝："寄语东山窈窕娘，好将幽梦恼襄王。禅心已作沾泥絮，不逐春风上下狂。"

实用人才秉至公

病起荆江亭即事十首（选一）

黄庭坚①

成王小心似文武，周召何妨略不同？
不须要出我门下，实用人才即至公。

诗人于徽宗建中靖国元年（1101）初，被召为吏部员外郎。因病新愈，辞谢未赴，在江陵等候新的任命时，写下了十首《病起荆江亭即事》，此为其中一首。

诗人历经熙宁、元祐、绍圣三十年间的政海波澜，目睹新派、旧派轮番当政，大闹党争，排斥异己，心中感慨重重，切望朝廷上下能够破除门户之见，实用人才，一秉至公。为了阐明自己的观点，诗中先是讲述西周的历史，说周王朝建立统一封建政权后的第二代君主——成王继位之后，谨慎小心地治国理政，完全按照他的祖父文王、父亲武王的路子走；而他的叔父周公、开国元勋召公这两位元老重臣，尽管治国方略略有差异，但在协助武王灭商，辅佐成王治理天下方面，都做出了卓越的贡献，取得了优异的效果。由此引发下面的议论：当

---

① 黄庭坚（1045—1105），字鲁直，自号山谷道人。宋治平年间进士。早年以诗文受知于苏轼。擅长书法，又是重要诗人，在"苏门四学士"中成就最高。

政者一定要捐弃一己之私,广开门路,大胆拔擢人才;所谓"至公",就是选拔人才要着眼于实绩,而不能分宗列派,秉持门户之见;不能认为,当权的大臣一定都出于自己的门下,成为自己的派系,那样才算人才。

《后汉书》载,大司农孙宝曰:"周公上圣,召公大贤,尚犹有不相说(意见不尽相同),著于经典,两不相损。今风雨未时,百姓不足,每有一事,群臣同声,得无非其美者?"诗人针对当时政局中党见纷纭,各谋私利的弊端,进一步阐扬了孙宝的论述,指出:但能公忠体国,意见何妨不同;只要大家都能像周公、召公那样出以公心,赤诚为国,切实举贤进能,即是至公至正。

旁观者的洞察

牧童

黄庭坚

骑牛远远过前村,吹笛风斜隔垄闻。
多少长安名利客,机关用尽不如君。

  风和日丽的宁静乡间,小牧童骑在牛背上,信口吹着短笛,远远地过来了。微风起处,悠扬、清脆的笛声隔着田垄也能听到。在这里,诗人通过状写所见所闻,创造了一种悠然自得、无忧无虑的形象鲜明的意象。不过,这只是一种用以说事的凭借,或曰铺垫,诗人所着意的却在后面。只见他笔锋一转,像电影画面转换似的,一下子把镜头由宁静和平的乡间摇转到风波涌动、血火交迸的汉唐帝都长安;把天真无邪、心地纯洁的小牧童,置换为钩心斗角、机关算尽的"名利客"。两两相较,对比鲜明,一褒一贬,披露出作者清高自持、不与俗流合污的胸襟、抱负与取向。

  诗句通俗易懂,意蕴却十分警策,发人深省,手法也十分巧妙,充分运用场景描绘和形象对比手法,即事论理,颇具说服力与感染力。

  宋人借助牧童题材抒怀寄意的、所在多有。比较单纯的是雷震的"草满池塘水满陂,山衔落日浸寒漪。牧童归去横牛背,短笛无腔信口吹",表现了牧童的活泼可爱、天真无邪、悠闲自在的情致和与之完全协调的和谐、清新的环境。而贺铸的七绝,则是与黄庭坚从正面阐述"名利客""不如君"相对应,从侧面予以反证:"壮图忽忽负当年,回羡农儿过我贤。水落陂塘秋日薄,仰眠牛背看青天。"叹息自己怀抱宏图远志,苦奔多年,只因不肯依附权贵,到头来,以一个名震骚坛的词人,混了个地位低下、事务烦琐的武职——边界巡检,令人哭笑不得,自然就"回羡农儿过我贤"了。

当然,即便是黄庭坚,同样也堪资慨叹。据说,本诗为其七岁时作品。作为一个旁观者,小小年纪即能对世道人情作如此深刻洞察、清醒判断,端的难得。可是,后来却始终纠缠在"名利场"中,"投荒万死鬓毛斑",饱尝坎坷跌宕的人生况味,"终其身竟无展眉舒气之一日"(晚清·张佩纶《涧于日记》)。可谓"知之非艰,行之维艰"。

人到愁来

和陈君仪读《太真外传》五首(选一)

黄庭坚

扶风乔木夏阴合,斜谷铃声秋夜深。
人到愁来无处会,不关情处总伤心。

据宋初史官乐史《太真外传》记载,唐玄宗被迫让人把杨贵妃缢死以后,便匆匆向蜀中进发,一路上神销魄散,对贵妃思念不止。行至扶风道(在今陕西凤翔县),见寺旁高大的石楠树,枝叶扶疏,就以贵妃生前的梳洗之地端正楼的名字,呼之为"端正树";而当路经斜谷口(在今陕西郿县西南)时,霖雨不止,跋涉艰难,经过栈道,在雨中听到铃声,隔山相应,倍感凄凉,遂作《雨霖铃》曲,以悼念贵妃,寄托哀思。

诗人就《太真外传》中这些情事,与友人陈君仪唱和,共题诗五首,此为第二首。

诗中说,扶风道上高大的树木,夏日枝叶茂密,绿阴交合;斜谷道中,秋天夜雨霖铃,听来凄绝伤情。这些景色原本是自然而寻常的,可是,人到了愁来,便触处生愁,简直无法理会,那些本与人情无关的景物,也都会蒙上一层忧愁的色彩,引起无限的伤心。

南宋曾季貍在《艇斋诗话》中评论此诗说："全用乐天（白居易）诗意。乐天云：'峡猿亦无意，陇水复何情。为到愁人耳，皆为断肠声。'此所谓夺胎换骨者是也。"

《太真外传》记叙杨贵妃故事，不但叙述详尽，而且笔致绮丽，异常优美，具有艺术魅力，所以它能引起黄庭坚的感喟和遐想。他的这组诗，"不像大多数歌咏太真的作品侧重于引古鉴今，甚或把这位绝代佳人写成倾国的'祸水'，而是着力渲染爱情悲剧的意境。在这一点上，很得义山（李商隐）神髓"。（当代学者吴调公语）

凉蝉好句幕中吟

咏蝉

陆蒙老[①]

绿阴深处汝行藏,风露从来是稻粱。
莫倚高枝纵繁响,也应回首顾螳螂。

据北宋末年陈岩肖所著《庚溪诗话》记载,陆蒙老在做晋陵知县时,常州幕官中有人专好谗谤同列者。这天一道吃饭,窗外树上蝉声响个不停,幕官便对陆蒙老说:"君既能诗,可咏此也。"陆推辞再三,那人执意要他写。于是,陆便即兴写了这首《咏蝉》七绝。把他狠狠地讽刺了一顿,那人从此便收敛了许多。

关于这个故事,后世一些笔记中多有记载。嘉兴人张燕昌还曾写诗:"春风亭下百花林,遗泽甘棠岁月深。最是当年陆蒙老,凉蝉好句幕中吟。"足见其影响之深远。

诗人采取与蝉对话的形式,说你们的形迹,隐现在绿树丛中;你们的饮食,是把露水和清风当作稻粱。我想在这里奉上两句忠言:千万不要倚仗着身在高枝,就放纵无忌地卖弄口舌,大唱高调("纵繁

[①] 陆蒙老,字元光,归安(今浙江湖州)人。宋熙宁年间进士,徽宗宣和初为秀州嘉兴县令,任常州府晋陵知县。

响"),也应该回头顾看一下,说不定螳螂正在身后伺机进攻哩!

  这是一首典型的咏物诗,其要义在于讽喻。诗人借题发挥,对那些得意忘形、披猖无忌的人给予警告,出语冷峻,寄慨遥深。

各得其时

三月晦日偶题

秦观[①]

节物相催各自新,痴心儿女挽留春。
芳菲歇去何须恨,夏木阴阴正可人。

  本诗题写于旧历三月的最后一天("晦日")。此时恰值春去夏来,诗人针对人们惜春、伤春的心情,从理性与感性两个方面加以劝解。

  诗中充满了哲思理蕴。先是说,挽留春光,珍重芳华,固属人之常情;但是,节候相催,四时代谢,春夏更迭,这是自然规律所决定的,不以人的意志为转移。因此,无须为繁花委地、春光尽歇而伤怀和憾惋("何须恨")。"痴心儿女挽留春"之句,把人们惜春的缱绻情怀与依恋心理,刻画得淋漓尽致,形象生动,呼之欲出。这是从理性分析的角度得出的科学结论,可说是神完气足,无懈可击。

  但是,作为以形象思维运思创意的诗人,淮海居士觉得,光这么冷冷地讲,未免薄采寡情,缺少诗性;于是,又在形象化、感染力方面

[①] 秦观(1049—1100),字少游,号淮海居士。宋元丰年间进士。"苏门四学士"之一。诗甚清丽,深得王安石赏赞;尤工词,风格婉约倩秀,为北宋婉约派代表性作家。

下了功夫。紧接着说,其实,单从审美、赏景的角度来说,绿肥红瘦、叶茂枝繁、浓荫匝地,夏木阴阴,还是更惬人心意的。"夏木阴阴",取自王维"阴阴夏木啭黄鹂"句。原来,唐代的"诗佛"早已把这"可人"的绝景撷入诗囊了。

　　解读秦观的这首七绝,我们还联想到,对于人生的由少而壮、由壮而老,同样应该坦然处之,无须怅惋韶华易逝。理应顺时而进,主动适应变化了的新的境遇——小则一年四季,大则人生各个阶段,从中获取应有的乐趣,作出各自的努力。应该看到,人到盛年,青春不再,也无须憾恨,它标志着成熟,正是大干一番事业、大有作为的时节。

愤激之言

题画

李唐①

云里烟村雨里滩,看之容易作之难。
早知不入时人眼,多买胭脂画牡丹!

据明人《书画题跋记》载,北宋画家李唐初到杭州,靠卖纸画糊口,但无人赏识,生活十分困苦。当时人们崇尚艳丽的花鸟画,而对他的清新淡雅的山水画并不欣赏。为此,他写了这首诗,用以发泄个人的感慨和牢骚。

首句讲的是这幅画的内容。寥寥七个字,就把一幅画面形象地展现出来:上方是云烟缭绕的山村,下面是雨中弥漫空蒙的河滩,层次分明,形象生动。次句接着说,这清淡的山水,看起来容易,可是,要把它的意象画出来却十分困难,无疑是辛苦构思、艰辛运作的产物。第三句,话锋一转,说,无奈世人浅薄,缺乏真正的审美修养与鉴赏情趣,对于这样精心之作,竟然不予理睬,弃置不顾。最后,含讥带诮,发泄牢骚,说,若是早知道世俗之人不欣赏这种清新淡雅的画,那

---

① 李唐(1049—1130),字晞古。徽宗朝入画院,擅山水、人物,以画牛著称,亦能诗。

就该多买一些胭脂,去画大红大紫的牡丹好了。牡丹,人称"富贵花",画牡丹借喻趋时媚俗,迎合世俗趣味。

当然,画家这样说,不过是出出闷气,借以讽世而已,他并非真的要改弦更张。当代学者蔡厚示指出:"这种反话,既饱含着带泪的幽默,又喷射出愤世的怒火。亦庄亦谐,痛快淋漓。这种风格,为后世许多题画诗所效法。如明代徐渭《题墨牡丹》:'五十八年贫贱身,何曾妄念洛阳春?不然岂少胭脂在,富贵花将墨写神!'就可以明显看出李唐此诗对他的启迪。"

作为题画诗,李唐的七绝除了体现画家高雅的追求和清高的品性,还提出了一系列有关绘画艺术可供研讨的课题:如看画与作画、坚持艺术理想与随俗、美与时尚(雅与俗)、大众与小众等,说明诗的意蕴是颇为丰富的。

大味必淡

自题墨竹

刘延世①

酷爱此君心,常将墨点真。
毫端虽在手,难写淡精神。

  自古以来,我国劳动人民在长期生产实践和文化活动中,就把竹子的形态特征比喻成一种做人的精神风貌,如虚心、劲节、潇洒、挺拔,中通外直,宁折不弯等,看作是中华民族的品格、禀赋和精神的象征;而历代的文人雅士,更是通过题诗、著文、书法、绘画等种种形式,为竿竿新篁、青青秀竹塑造出难以计数的美好形象。
  刘延世的这首五绝,作为一首题画诗,同样成了竹子的赞歌。诗人说,由于我非常喜爱秀竹的襟怀与气质,所以常常展纸泼墨来为它画像写真。但是,即便是手里紧握着霜毫,眼睛细盯着实景,要刻画出它那清高淡雅的精神,还是极为不易的。
  "难写淡精神"之"淡",为全篇的诗眼。作为一种审美概念,或曰标准,"淡"的提出由来已久,《庄子·刻意》篇:"淡然无极,而众美

---

① 刘延世,生卒年不详。少有盛名。宋元祐初游太学,不得志,潜心问学。长于绘画,尤擅写竹。

从之";汉代有"大味必淡"之说;唐人把"冲淡"标举为《二十四诗品》中的一品;到了宋代,则主张"寄至味于淡泊",认为"心淡则笔淡","绚烂之极,归于平淡"。

正因为"淡"乃"大味""至味","绚烂之极",是境界的升华与技法成熟的表现,所以,"绝非浮易",难于一蹴而就——"作诗无古今,唯造平淡难""毫端虽在手,难写淡精神",皆为最深切、最实在的体验。清人王文治《论书绝句》:"坡翁奇气本超伦,挥洒纵横欲绝尘。直到晚年师北海(李邕,唐代书法家),更于平淡见天真。"说明东坡书艺达到平淡的化境,乃是一辈子的功力。

他乡怕见月华明

自上元后闲作五首(选一)

张耒①

喧喧野县自笙歌,风卷高云天似波。
谁谓楼前明月好,月明多处客愁多。

"月下归愁切""月明愁杀人""月明如此奈愁何""月明秦塞夜愁多"……翻开唐宋文人的诗集,吟咏月夜客愁的还真的不少。这里存在着客观与主体的双重原因:一方面,旧时代战乱频仍,干戈满地,人民大众,包括许多文人骚客,离乡背井,动荡不宁,而交通阻塞,关山阻隔,"有弟皆分散,无家问死生","共看明月应垂泪,一夜乡心五处同",几乎成了生活常态;另一方面,这些诗人骚客,本来就多愁善感,触处生情,在这种状态下,就更是愁肠百结,感慨生哀,"乡心新岁切,天畔独潸然"。作为书写游子乡愁的佳作,张耒此诗正是这种情念的产物。

诗的前两句是纪实,极写节日的欢乐和月明之夜景色的华美,为后面生发的议论张本。诗人说,即便是偏僻荒凉的县城,适逢元宵佳

---

① 张耒(1054—1114),字文潜。宋熙宁年间进士。工诗文,亦能词,为"苏门四学士"之一。

节("上元"),也同样是大地上笙歌处处,热闹喧嚣;而空中清风尽扫浮云,月华如水,更是上下天光,一体澄明。面对着这般情境,由于所处境遇的不同,人们的情怀与心绪便有很大的差异。与亲人友朋团聚,且又身处顺境的,自是酣歌畅舞,尽兴欣赏楼头明月的姣好;而那些只身在外、他乡行役的羁旅,那些流离失所、无家可归的游子,则断不会有这般逸思雅兴。在他们心中,倒是"月明多处客愁多"啊!

好怀不易开

绝句四首(之四)

陈师道[①]

书当快意读易尽,客有可人期不来。
世事相违每如此,好怀百岁几回开?

  诗中揭示了作者内心世界的精密体验与深刻感受。前两句讲了两件十分惬意却又常常令人感到缺憾的事:好书读起来畅怀适意,痛快淋漓,可是,往往是读着读着,不知不觉地就读完了;知心好友约定了前来聚会,却偏偏因事耽搁,未能如期而来。三、四句引申开去,说世事就是这样,常常违拗着人意,"不如意事常八九";白岁人生中又有几回能够欢畅开怀呢?赏读本诗,可以参阅作者的另一首诗《寄黄充》:"俗子推不去,可人费招呼。世事每如此,我生亦何娱?"二诗所表达的感受是相同的。

  "好怀白岁几回开?"这种人生感悟,早在两千三百年前,庄子就借助盗跖之口说过:"人上寿百岁,中寿八十,下寿六十。除病疾死丧忧患,其中开口而笑者,一月之中不过四五日而已。"后来,杜甫、

[①] 陈师道(1053—1102),字无己,自号后山居士。少从曾巩学文,绝意仕进。诗学杜甫,刻苦经营,风格简古,为"江西诗派"代表性作家。

杜牧也分别在诗中写道:"怀抱几时独好开?""尘世难逢开口笑。"而晚清名臣曾国藩则讲得更为斩截:"苍天可补河可塞,唯有好怀不易开。"古人的这些诗文,既来自作者对生活的实际感受,确是艰难时世的真实写照,更蕴含着透彻而普遍的哲学感悟,读了令人怅然深思。

陈师道贫困潦倒,家居寂寞,又落落寡合,生活圈子较窄;而寿不及半百,官不过正字,最后以布衣终,死后由友人买棺以殓,妻子寄食于邻翁。一生中,他把全部精力都放在作诗上。除去有些诗"把成语古句东拆西补或者过分把字句简缩"(钱锺书语)以外,许多作品还是以亲身经历为基础,以心灵的完善与自足为本质特征,展现出实在而朴挚的生命体验。纪昀评曰:"弃短取长,要不失为北宋巨手。"

后山居士为诗用力甚勤,属于苦吟诗人,连诗学杜甫成就甚高的黄庭坚,都称赞他:"作诗深得老杜之句法,今之诗人不能当也";"小诗若能令每篇不苟作,须有所属乃善,顷来诗人,唯陈无己已得此意,每令叹服之。盖渠(他)勤学不倦,味古人语精深,非有为不发于笔端耳"。

从早安排

放歌行二首(选一)

陈师道

当年不嫁惜娉婷,抹白施朱作后生。
说与旁人须早计,随宜梳洗莫倾城。

诗人以一个失嫁女子的口吻,现身说法。头一句是忆往——从前因为过分矜怜姿色、珍惜华年,而不甘轻易地消遣此生("惜娉婷"),迟迟不肯嫁人,结果一直拖延下来,直至年华老大,容华消减。第二句述今——于今芳菲已逝,青春不再,只好整天"抹白施朱",刻意打扮自己,学作年轻少女("后生")模样。三、四两句,以过来人的生命体验,语含酸苦悲辛地"说与旁人"——奉劝众多姐妹,千万不要自恃年轻貌美,以致红颜误我,我误青春。须知青春尽日,便见弃捐,应该早为之计,适当随便地梳妆一下,不一定非要做个倾国倾城的绝代佳姝。人生的春天诚然是值得珍惜的,但是,韶光易逝,而知己难寻,过于矜持,难免陷于苦恼之境。

翻开一部《后山集》,多见"十年从事得途穷""何限人间失意人""功名欺老病,泪尽数行书""此生精力尽于诗,末岁心存力已疲"之句。同这类直白如话的诗句相比,本诗意蕴,虽然同样情真意切,哀婉动人，但要委婉曲折得多。通观全篇，诗人着意处，一是，以女子失嫁比喻自己怀才不遇的痛苦身世，所谓"国士佳人，一般难遇"是也；二是，对于自己"早作千年调，中怀万斛愁"，"闭门觅句"，刻意求工，稍稍流露一点点失悔的意味，这从"随宜梳洗莫倾城"句中，当可略见端倪。

逢 遇

和邢惇夫诗(二首之一)

陈师道

汉廷用少公何在,不使群飞接羽翰;
今代贵人须白发,挂冠高处未宜弹。

邢居实,字惇夫,少年有俊声,获"神童"之誉,可惜刚刚十九岁就撒手尘寰。著名诗人黄庭坚深情悼惜,慨乎其言:"今观邢惇夫诗赋,笔墨山立,自为一家,甚似吾师复(黄庭坚的老师谢景回)也。秀而不实,念之令人心折。"居实曾写诗给著名诗人陈师道,有句云:"微意平生在江海,尘冠今日为君弹。"意思是:我志在江湖,无意于仕进;今天,为您弹冠相庆,祝贺您即将出仕了。陈师道写诗奉和。本诗是两首和诗中的第一首。宋·王直方《诗话》中叙及此事时,指出:"盖元祐之初,多用老成故也。"

诗人以遗憾的口吻说,像你这样超迈凡尘的少年英俊,可惜生不逢时,没有生在汉代,未能得到重用,无法同那些英杰贤俊一道高飞远骛,大展奇才。如今这个时代,只有白发苍苍的老年人才能登上高位。所以,还是尘冠高挂吧,如今并不是弹冠出仕的时候。

原来,自宋初始即颇重老成。《茶余客话》载,何朝宗,十八及第。太祖曰:此人未有须,恐未老成,不宜与第(科举等次),且令读书。《宋人轶事汇编》中,还记载了名臣寇准为了升官,进行"人工老化处理"的故事:"寇准年三十余,太宗欲大用,尚难其少。准知之,遂服地黄兼芦菔以反之,未几须发皓白。于是拜相。"迨至神宗死后,用老之风益炽。当时,哲宗即位仅十岁,实权掌握在保守派总后台、哲宗祖母高太后手里,她废除新法,斥逐变法派人物,同时起用了一批年高老成的守旧派人物。所以,诗中有"今代贵人须白发"的说法。

诗中反映了一个富有哲思理蕴的"逢遇"问题。东汉·王充《论衡》中指出:"操行有常贤,仕宦无常遇。贤不贤,才也;遇不遇,时也。才高行洁,不可保以必尊贵;能薄操浊,不可保以必卑贱。或高才洁行,不遇退在下流;薄能浊操,遇在众上。"随之,他就举出历史上的一些实例:周朝时有个白发老翁,坐在路旁哭泣。过往行人问他为啥哭得这样伤心,他说:"我的命运太不好了。活了这么大岁数,却没有遇到一次做官的机会。"行人奇怪地问:"怎么会一次好机会都碰不到呢?"老翁回答说:"我年轻时学习为文,学成之后准备考官,却赶上当时的皇上喜欢任用年长的大臣。后来,这位专门用老的皇上死了,新上来的皇帝又崇尚武功。为了能登上仕途,我只好弃文就武。可是,等我学成武艺之后,又赶上这位喜好武功的皇帝去世。少主新立,专用年轻人,可是我年纪老了,武艺再高强也不被重用。就这样,碰来碰去,直到头白发秃,也没有碰上一次做官的机会,怎不叫人伤怀呀?"

这种人才埋没的悲剧,表面上看,是个命运或机遇问题,实质上反映出封建社会用人机制的严重不合理。最高统治者"手握王爵,口含天宪",凭一人之好恶,决定着万千贤士的命运与前途。既然人才的选拔任用,全凭封建统治者的主观意志,并非按照德才标准来选贤任能,那么,贤豪埋没,佞幸当朝,就成为必然的了。

诗有悟门

学诗三首(选一)

吴可①

学诗浑似学参禅,头上安头不足传。
跳出少陵窠臼外,丈夫志气本冲天。

宋代禅风盛行,影响到诗坛上,常有以禅入诗、以禅论诗者。受其影响,吴可论诗,也喜用佛教徒静坐冥想、领会佛理的参禅之说,提出诗贵顿悟和不蹈袭前人窠臼的论点。从苏轼始倡以禅喻诗,到严羽把它加以理论化、系统化,吴可在中间起着承先启后的作用。

《学诗三首》便属此类,此为其中第二首。诗中通篇都是议论。前两句说,学诗很像禅宗修行那样,强调自行开悟。作者在其所著《海藏诗话》中有一段话,有助于对此说的理解:"凡作诗如参禅,须有悟门。少从荣天和学(诗),尝不解其诗云:'多谢喧喧雀,时来破寂寥。'一日于竹亭中坐,忽有群雀飞鸣而下,顿悟前语。自尔看诗,无不通者。"

开悟的大前提,是开动脑筋,勤思苦想。如果自己的脑袋不用,

---

① 吴可,字思道,号藏海居士。宋大观三年进士,曾入仕汴京,宣和末辞官。

头上另安个别人的脑袋,是不值得提倡的。"头上安头",意为多余、重复,典出《景德传灯录》。

后两句说,大丈夫本有冲天壮志,不屑于因袭他人;应该勇于跳出杜甫的固有格式,另辟蹊径,这样才能获取新的成就。或问:何以单提"少陵窠臼"？答曰:其因有二:当时,盛行诗宗杜甫之风。黄庭坚论诗,以杜诗为最高标准,"学诗当以杜子美为师,有规矩,故可学";再者,吴可的用意是,少陵乃"诗圣"也,"诗圣"的固有格式尚须跳出,其他人自不必说。这里有一点需要说明,作者提出,跳出前人固有窠臼,绝非否定学习、借鉴作用,而是说要知所创新。

失败英雄的颂歌

夏日绝句

李清照[①]

生当作人杰,死亦为鬼雄。
至今思项羽,不肯过江东。

闻一多先生有言:"负破坏使命的,本身就得牺牲。所以,失败就是他们的成功。人们都喜以成败论英雄,我却愿向失败的英雄们多寄予点同情。"在这首怀古诗中,李清照悲歌感慨,就正是"向失败的英雄多寄予点同情"。当然,她也并非一般地"发思古之幽情",而是要借古讽今,狠狠地刺那班投降派一下。

面对金兵的大举入侵,高宗赵构与臣僚完全放弃守土保民之责,仓皇逃遁,忍辱偷生,偏安一隅,缺乏千年前"失败英雄"项羽那样"生为人杰,死为鬼雄"的节操与气概。"鬼雄",意为鬼中之雄杰,一般用来赞美为国捐躯者,源于《楚辞·九歌》中"身既死兮神以灵,子魂魄兮为鬼雄"之句。女诗人在这里抒发了沦陷区广大士子与民众的填膺义愤。寥寥二十字,宛如一篇声讨檄文,至今读来,仍然胸中

[①] 李清照(1084—约1151),自号易安居士,宋代著名女词人。词作清丽婉约,悱恻缠绵,达到了很高的艺术水准;诗歌则慷慨豪放,净洗儿女之气,但传世较少。

为之一快。

　　我们应该特别看重第三句的"思"字。"思"者,思念、怀想、呼唤之谓也。什么时候"思"? 是"至今"。思什么?"思项羽"。楚汉相争中垓下一战,项羽败绩,逃至乌江,亭长劝他暂避江东,以图东山再起,但他以"无颜见江东父老"相拒,悲愤自杀。这就再鲜明不过地标示:诗是直接针对以赵构为首的"南渡君臣"——这帮彻头彻尾的投降派、软骨头、怕死鬼。

　　此诗笔力雄豪劲健,格调高昂,充溢着凛然风骨,人间正气,足可惊天地而泣鬼神。诗中明确地提出了人生的价值取向:生而为人中豪杰,为国家建功立业;死也要为国捐躯,成为鬼中的英烈。爱国激情,溢于言表。

当头棒喝

翠微山居

冲邈①

百计千般只为身,不知身是冢中尘。
莫欺白发无言语,此是黄泉寄信人!

诗僧冲邈在江苏昆山县西北角建筑了翠微山居,并以此为题,写组诗二十五首,此为第十首。

诗中头两句是说,人们费尽心思,千方百计地筹划,无非是为了满足身体的需要,兢兢于声色货利、口腹之欲,尽力攫取种种可供物欲享受的物质资源。结果心为形役,终朝每日劳形苦心,播下了无数烦恼、痛苦的种子。结果是形而下的富裕带来形而上的贫困。须知,整日为之营营役役的这副身躯,实质上不过是坟墓中的一点尘灰,所谓"一具烂骨头,镂空作蚁穴"而已。

庄子有言:"生者死之徒,死者生之始。"反过来,也可以说,生是死的开始,死是生的归宿。人自出生的那一刻起,便开始了生命终结过程的倒计时;生命的每一秒,都是下一秒的过去,而每一个"下一

---

① 冲邈,十一世纪时,昆山诗僧,享年八十八岁。

秒",又都像箭一般直接射向生命终结的那一刻。

诗中最为形象、有趣的是三、四两句。它把白发拟人化了,而且给它派了个差使——邮差、信使。诗中说,你可不要轻视这头上的白发,看着它确是不言不语,可是,它可是从黄泉路上赶来,作为阎王爷的信使,前来给你报信的,它在告诉你:离生命终结已经时日无多了。任你能够呼风唤雨,叱咤风云,任你是人高马大,光艳照人,照样要成为冢中枯骨、几粒灰尘。

意蕴精深,出语冷峻,颇富警示、诫勉意义。

遗貌取神

水墨梅(五首选一)

陈与义①

含章檐下春风面,造化功成秋兔毫。
意足不求颜色似,前身相马九方皋。

这是一首题画的名诗。据说,宋徽宗看到以后,击节称赏,当即会见了作者,有相识恨晚之憾。陈与义自此名播海内,并被拔擢重用。

诗,确实写得很好。前两句为一般的铺叙,大意是说:含章殿下有你(梅花)美丽的笑靥;大自然孕育名花的功绩,全靠一支兔毫画笔完成。精彩之处在于三、四两句,借咏墨梅提出了"撷取神理,遗貌取神"这一富有哲思的艺术思想理念。

诗中有两个典故。"春风面":南朝宋武帝女儿寿阳公主,闲卧含章殿檐下,忽有梅花瓣落在前额上,拂之不去,三天过后,才逐渐淡化。宫女们觉得这样更显娇俏,便也学着在额头上粘贴花瓣,称为"梅花妆","春风面"本此。"九方皋":秦穆公欲求良马,伯乐便将善于相马的九方皋推荐给他。三个月后,九方皋回来报告选到一匹

---

① 陈与义(1090—1138),号简斋。宋政和年间进士。靖康祸起,汴京陷落,南奔避难,流离湖湘之间。身经战乱,颇有苍凉激越的忧国伤时之作。为"江西诗派"重要作家。

黄色的母马；不料，牵过来一看，却是一匹黑色的公马。穆公问是怎么回事，伯乐解释说，这正是九方皋的高明之处："得其精而忘其粗，在其内而忘其外；见其所见，不见其所不见"，即所谓"求之于骊黄牝牡之外"。后来实践证明，这确是一匹出类拔萃的千里马。

这种"见其所见，不见其所不见"，在外国文学名著中我们也曾见到过。享誉世界的印度民族史诗《摩诃婆罗多》中记载，皇室教师特洛那，这天教众公子射箭，他问其中一人："你看见了什么？有没有鸟、林树和众人？"这人回答说："我只看见了鸟，其他什么也没看到。"特洛那欣喜异常，马上让他发射。说："这个只看见鸟的孩子，是最好的学生。"

中国古典艺术，如书法、绘画，也包括诗歌，全都讲究摄取事物的神理，遗其外貌，不求形似，像九方皋相马那样，达到那种"超以象外，得其环中""皮毛落尽，精神独存"的境界。清·戴熙《习苦斋画絮》中记载，东坡在试院用朱笔画竹，见者曰："世岂有朱竹耶？"坡曰："世岂有墨竹耶？善鉴者固当赏诸骊黄之外。"唐代画论家张彦远也曾说过："王维画物，多不问四时，画花，往往桃杏、芙蓉、莲花，同画一景。余家所藏摩诘（王维）《袁安卧雪图》，有雪中芭蕉，此乃得心应手，意到便成，故其奥理冥造入神，迥得天意，难与俗论也。"

宋代诗僧惠洪在《冷斋夜话》中也说："诗者，妙观逸想之所寓也，岂可限以绳墨哉！如王维作画雪中芭蕉，诗眼见之，知其神情寄寓于物；俗论则讥以为不知寒暑。"他还写过这样一首诗："东坡醉墨浩琳琅，千首空余万丈光。雪里芭蕉失寒暑，眼中骐骥略玄黄。"意思是说，东坡居士酒醉之后的画作，琳琅浩瀚，诗词千首；可惜的是，对于他的诗画识者寥寥，空余了万丈光芒。王维画的雪里芭蕉，并不拘泥于季节是寒是暑，九方皋相马也是"求之于骊黄牝牡之外"，其超越绳墨的"妙观逸想"，同样也不为后世的俗论所认同，说来都是令人慨叹重重的。

江郎才尽

梦笔驿

姚宏①

一宵短梦惊流俗,千古高名挂里间。
遂使后生矜此意,痴眠不读半行书。

  这是一首咏史诗,其实,也可以看作是励志诗。诗中针砭时弊,可警后学,可医流俗。
  诗的前两句讲,南朝才子江淹梦神赐笔,才华剧增,惊动世俗,名闻乡里。这里依据一个传说:江淹少年时,梦见神人授以五色笔,从此才气纵横,文名昭著。后来五色笔被索回,为诗绝无佳句,时人谓之"江郎才尽"。"梦笔驿",相传为江淹梦神赐笔之处。据陆游《入蜀记》载,其地在萧山县东北觉苑寺旁。
  后两句说,这种传说所产生的社会效果是消极的。千古以来,这么流传下去,遂使后世的许多年轻人误信"才由神授",聪慧者骄矜自恃,乏才的则自暴自弃,结果都是傻乎乎地整天睡大觉,再也不肯刻苦用功、兢兢以求了。

---

① 姚宏,字令声,宋室南渡后,曾任浙西衢州江山县知县,被秦桧迫害致死。

其实，这个传说本身就是荒唐无稽的，而"江郎才尽"（如果是真的话），也并非缘于"五色笔被索回"，而是因为江淹担任齐、梁朝的高官、地位荣显之后，官员的身份意识，现实的名位功利、富贵安逸的环境，限制了他的创造才能，窒息了审美思维；庙堂之上盘根错节的矛盾，更促使他专注于仕途经济，于诗文创作则着力无多，自然就佳作少见了。清代文学家姚鼐认为，江淹之所以才尽，乃由于其后期"名位益登，尘雾经心，清思旋乏"所致。

但是，也有学者，如明末张溥与今时的古直则认为，"才尽"之说，原本是江淹刻意演出的一场戏，他故意装扮成自己才尽，以避免遭到梁武帝嫉妒而引发祸端。《梁书》本传记载：齐、梁易代后，江淹"封临沮县开国伯，食邑四百户，淹乃谓子弟曰：'吾本素宦，不求富贵，今之忝窃，遂至于此。平生言止足之事，亦以备矣。人生行乐耳，须富贵何时。吾功名既立，正欲归身草莱耳。'"。对于这番话，持"惧祸论"者认为，这是江淹申抒其韬晦自保的隐衷；而主张"位进而才退"者则认为，恰是他不思进取、自满自足的显示。同样一番话，后世阐释竟有如此之差异，确是十分有趣，然亦颇堪玩味。

细 柳 情

江上

董颖①

万顷沧江万顷秋,镜天飞雪一双鸥。
摩挲数尺沙边柳,待汝成阴系钓舟。

诗人首先为我们描绘一幅秋光明艳的画面:江天辽阔,沧波浩渺,在这气爽天高的秋空里,有一双鸥鸟飞翔,忽高忽低,酷似飞扬的雪花,令人赏心悦目。但在漂泊流离的诗人心里,则可能引起孤独、寥寂的感伤意绪。

就全诗来讲,这只是一种铺陈,要说的话还在后面。就在这一清丽的衬景中,诗人引出了江岸边暂时只有几尺高的细柳,并把它当成一个倾诉对象,一边满怀深情地用手摩挲着它,一边软语温存地说,你快点长大长高吧,到那时我好把钓船系在你身上,悠闲自得地在你浓密的绿荫下垂钓。言外之意是,现在我却不得不离开这里,继续南北奔波。

历代诗人不乏沧波白鸟或者细柳婆娑之作,但像董颖这样前后

---

① 董颖,南宋诗人。一生穷愁潦倒,作诗成癖;每属思时,寝食尽废;苦思过当,遂得狂疾。此诗外,全部遗失。

呼应，悠然作结，却是出人意表。人与细柳，一为主体，一为客体，原本处于分立状态；可是，通过直接的对话，呼柳以"汝"，则由静态观望一变而为动态融合，可说是妙不可言。更主要的是，这样一来，引发读者作多重联想：比如，通过摩挲江边细柳，寄寓了对新生一代的爱抚之情和深切期望。再比如，由于诗人迫于生计，长年奔走异乡，于是用拟人化手法，把细柳与留别挽在一起，祈请高仅数尺的小柳树早日成长壮大，以帮助自己系住行舟，不再过漂泊生活，不再与亲人离别。诗评家周慧珍就是这么解读的。她还说，此乃神来之笔，运思既妙，立意也高，字面上并不曾诉说羁旅孤客之怨思离情，而读者却能心领神会，这就比明白道出显得更动人、更隽永。著一"系"字，不仅抒写出了自己惜别的心情，而且切合柳枝修长的特点，造语堪称天然而含蓄，新颖而贴切。

阳关别调

阳关词

陈刚中[①]

客舍休悲柳色新,东西南北一般春。
若知四海皆兄弟,何处相逢非故人。

从诗题和字句上可以看出,这是一首与唐代诗人王维《送元二使安西》相对应的七绝。王维诗:"渭城朝雨浥轻尘,客舍青青柳色新。劝君更尽一杯酒,西出阳关无故人。"情意恳挚,诗情浓郁,广为后人传诵。不过,也有人觉得情调有些感伤,于是,写出一些在情怀与寓意方面迥然有异的诗篇。此诗就是一例。

跳出这两首具体的诗作,广义地说,同是送别诗,也有时代背景与社会环境的不同。汉唐以来,幅员广阔,开疆辟土,征伐不断,军政人员四出频繁,因而送别诗文甚多。"黯然神伤者,为别而已矣",常常成为主调。而宋代重文轻武,战事无多;加之疆土日蹙,南宋时更是偏安一隅。所以,文人的心境也有所差异。还有一个因素:唐诗主情,宋诗主理,以理驭情,相对地更显理智一些。这样,与唐人的送别

[①] 陈刚中,建炎年间进士。绍兴中,胡铨因弹劾秦桧,被贬广州,他前往送别,遂遭忌恨,贬知安远县。

诗也会有所不同。

　　主理,往往用典较多。对此,历来看法不一,关键在于如何用典。用得不好,会产生阅读障碍,被指责为"獭祭"、堆砌,金镶玉琢,雕饰晦涩;但如用得适当,用得精巧,则可使诗的意蕴深邃,情致曲折幽渺,想象空间得以扩展。本诗四句中有三句用典,一、四句用的是王维诗典,第三句语出《论语·颜渊篇》:"四海之内,皆兄弟也。"深化了诗的意蕴,增加了情趣。加之,正反两用,情致活泼。诗中第三句,属于正用,即作者所要表达的思想意蕴与典故本身意义相同;而一、四句用典,则与典故原意相悖,属于反用。通篇读来顺畅、和谐,绝无晦涩、黏滞之感。

书生议政

汴京纪事二十首(其七)

刘子翚①

空嗟覆鼎误前朝,骨朽人间骂未消。
夜月池台王傅宅,春风杨柳太师桥。

这首辛辣的政治讽刺诗,以"汴京纪事"为题,汴京(今称开封)为王城所在,说明笔锋直指北宋王朝。

开头两句,用了"误"和"骂"两个关键性的动词。二者形成连锁的因果关系。前朝,指北宋末年徽宗时期。其时,昏君荒淫无道,奸相胡作非为,以致覆鼎亡国,葬送了北宋王朝。"覆鼎",语出《周易》:"鼎折足,覆公𫗧,其形渥,凶。"孔颖达疏:"施之于人,知(智)小而谋大,力薄而任重,如此必受其至辱,灾及其身也,故曰其形渥,凶。"这是因,那么果呢?就是"骨朽人间骂未消",人人口诛笔伐,遗臭万年。诗人以强烈鄙视、无限愤慨的口吻,揭示了这些民族败类的滔天罪行及其万劫不复的可耻下场,十分痛快淋漓。当然,作为一介文人,无权无势,也只能这么痛骂一番。书生议政,"秀才造反","空

---

① 刘子翚(1101—1147),世称屏山先生。以父荫补承务郎;后因体弱多病,归隐武夷山,专事讲学,精研《周易》,成为南宋著名理学家。

嗟"云云,正以此也。

后两句,笔锋一转,陡起波澜,由议论改为场面描绘,补足前两句的内涵。仿佛拉出秦桧夫妇等"四凶"在岳飞墓前下跪,这里也是把两个有代表性的卖国奸贼——徽宗朝卖官鬻爵、贪赃误国的太傅楚国公王黼和官封太师鲁国公的蔡京拉出来示众:把这两个号称"六贼之首"的徽宗所宠信的权奸加以典型化、具象化,通过当时彰彰在人眼目的"王傅宅""太师桥"的亮相,进一步把他们钉在历史的耻辱柱上。"夜月池台""春风杨柳"这华美的景观,与那留下千古骂名的罪恶的见证者(桥、宅),恰成鲜明的对照。

全诗熔议论、写景、述怀、抒情于一炉,意蕴深刻而又生动形象,特色鲜明,别具一格。当代学者卫军英指出,正如题中所示,本诗重于历史的真实。但从诗的创作来说,却不一味地在史实中旋转,作者的高明之处,就在于能从现实的悲愤中深入历史,又从历史的沉痛中回归到对现实的体认。这种历史与现实的交叉,体现在诗人的创作中,就形成了情感与史实的交融,使得全诗处处表现出今与昔、盛与衰、实与虚等多方面的比较,使其不至于流为一般伤痛国事的激愤口号。

断肠分水各题诗

过分水岭

黄公度①

呜咽流泉万仞峰,断肠从此各西东。
谁知不作多时别,依旧相逢沧海中。

  分水岭,一般指两个流域分界的山脊。诗人以此为题,则是专指江西铅山分水关。南宋时此为京城杭州通往闽粤沿海的交通要道。诗人借此表达了他被奸相秦桧诬陷罢官之后,途经其地返回福建莆田时的感伤意绪。
  头两句,生动传神地道出了目中所见的特殊景象——万仞(古代七或八尺为仞,此非实指)高峰两侧,两条溪流各奔东西。流泉是"呜咽"的,归路是"断肠"的,都是以拟人化手法,赋予无知无觉的自然景物以苍凉、凄楚的情感;状写泉流分泻时的依恋情怀、感伤意绪,实际上恰是诗人此时的内心写照。
  三、四两句,陡然来个"硬转弯"(这种笔法为诗家秘诀,在杜甫、韩愈、黄庭坚诗中经常可以见到),说,其实也用不着感伤,各自分流

---

① 黄公度(1109—1156),宋绍兴年间状元,秉性耿直,居官清正,得罪奸相秦桧,屡遭贬斥。

一段之后,将来还会同归于沧海,到那里就永远不会有离别了。字面上看,旷怀达观,相当洒脱;实际上,深层的意蕴却是凄怆的。千里长途,什么时候才能到大海里相聚呢?即便是同归沧海了,在那浩茫无涯的世界里,根本没有踪迹可寻,遑论会面!

  清人赵翼写过一首类似的七绝,却另有寄托,别开生面:"传语山泉莫浪悲,只愁流出性潜移。在山一点清能认,终有相逢到海时。"说分别并不可怕,无须"浪悲";最令人发愁的,倒是流出深山之后,品性发生潜移(所谓"出山泉水浊"吧)。只要能够保持清流不变,终有一天会在大海相逢的。

  黄、赵二诗,讲的是水与水分,而唐人温庭筠的诗,则是讲水与人分:"溪水无情似有情,入山三日得同行。岭头便是分头处,惜别潺湲一夜声。"三首诗所描述的都是人们习闻常见的自然现象,而诗人能够独出心裁,各极其致,阐发蕴涵丰富的哲思理蕴,予人以足够的思索空间。它们的共同特点是,意境开阔,情趣盎然,具有平中见奇、情理交融的鲜明特色。

古树寄情

咏老木

龚茂良[①]

千章古木转头空,去与人间作栋隆。
未必真能庇寒士,不如留此贮清风。

大木材称"章","千章古木",极言大树之多。现在,它们却被一朝砍尽,说是要运到繁华世界里,做建筑广厦的栋梁。诗人在陈述了这一事实之后,紧接上说,实际情况未必如此。即便是能够成为支撑广厦的栋梁之材,也得看这座广厦担负何种用途,若是不能荫庇寒士,像"诗圣"杜甫所呼吁的"安得广厦千万间,大庇天下寒士俱欢颜",那还莫如留在山林间,存贮几许清风哩!

说的是树,实际上是在写人,具体地说,写的是自己。他从小聪慧好学,矢志报国。南宋绍兴八年,年仅十七岁,即登进士第,系当时最年轻的进士,被称为"榜幼",诏授南安县主簿,自此踏上长达四十年的从政之路。但是,生不逢时,当时朝政昏乱,奸臣当道,所如不偶,动辄得咎;一展鸿才、大有作为的抱负全成泡影,平生志愿,百不

[①] 龚茂良(1121—1178),宋绍兴年间进士,孝宗时任礼部侍郎,参知政事。力主抗金,以廉勤称,赈济灾民,为民称颂。

偿一。晚年为此悔憾不已。

龚氏深受儒家思想影响,奉行孟子所说的"达则兼济天下,穷则独善其身"的宗旨。诗中讽喻那些应诏出山,志在大有一番作为的读书士子。其真实意向是,在不得其道而行的情势下,与其尸位素餐,无所作为,——更不要说同流合污了,还不如悠然退隐,独善其身。这里的"贮清风",即暗含洁身自好之意蕴。

古代以大树为题材而别有寄托的诗作很多。与这首借物喻意、以诗明志的写法不同,《随园诗话》记载了另一种类型的咏物诗:"江西某太守将伐古树,有客题诗于树云:'遥知此去栋梁材,无复清荫覆绿苔。只恐月明秋夜冷,误他千岁鹤归来。'"这位骚客颇不以某太守的做法为然,写诗用意在于规谏、劝止砍树,但他限于身份、地位,也考虑到了实际效果,并不直白地提出批评,也没有讲多少大道理,而是采用婉转其词、动之以情的叙述策略,把话说给太守听:这棵直干凌霄的古树,砍伐之后,将会成为美轮美奂的高楼大厦的栋梁之材,充分发挥它的作用;不过,那样它从此可就不能以其百丈清荫庇覆大地了;这还不说,最令人伤情的是,恐怕将来哪一个月明秋冷之夜,那只千年老鹤满怀眷恋、乘兴归来,再也找不到固有的栖息之所了,那它该是何等失望啊!这里巧妙地暗用了《搜神后记》中"丁令威千年化鹤归来"的典故,情辞深婉,极饶韵致。据说,"太守读之,怆然有感,乃停斧不伐。"

槿花多义

槿花

绍隆①

朱槿移栽似梦中,老僧非是爱花红。
朝开暮落关何事?只要人知色是空。

木槿为落叶灌木,其花钟形,有红、白、淡紫等色,朝开暮谢。自古以来,它就进入诗人的视野,承担了多重的意蕴。

——美的意象。《诗经·郑风》中有"有女同车,颜如舜华"之句,舜华就是槿花,开了以槿花比喻美女之先河。后来,李白诗中的"犹不如槿花,婵娟玉阶侧",李商隐诗中的"风露凄凄秋景繁,可怜荣落在朝昏。未央宫里三千女,但保红颜莫保恩",都是沿着这个思路。

——反复易变。孟郊抓住槿花朝开暮落的特点,在《审交诗》中用以状写世人反复无常的心态。

——日新月异。崔道融诗云:"槿花不见夕,一日一回新。"韩国定木槿为国花,据说也是取义于《周易·系辞》中"日新之谓盛德"的

---

① 绍隆(1078—1136),南宋禅僧。以"竹密不妨流水过"的参悟,获圆悟禅师首肯。绍兴年间住持虎丘。

奥义。

——虚幻难凭。到了佛禅界,则从"空即是色,色即是空",一切事物皆由因缘生起,虚幻不实的角度,看待槿花的旋开旋落。

诗僧绍隆说,像是在梦中一样,开红花的木槿就被移栽到僧院来了。我这样做,并非由于特别喜爱槿花的朱红艳丽。按说,这种花朝开夕落,不过是一种生命的自然现象,本也无关乎什么世事人生,我只是想让人们从中领悟到"色即是空"的禅理,就是说,世间一切色相,一世物质现象,皆是人的心力所为,它们原本都是虚幻无凭的。与此相近,宋代另一位诗僧智圆,在《栽花》一诗中,则借助移栽花木,抒发对于人生的荣辱升沉要看轻看淡、无须在意的思想:"移花来种草堂前,红紫纷纭间淡烟。莫叹朝开还暮落,人生荣辱事皆然。"看得出来,以景释法,引禅入诗,乃历代诗僧们展示禅思哲趣之偏好。绍隆的《槿花》诗堪称绝好的一例。

也许有人会问:本来闲静僧家是远离人间烟火的,可是,僧人们却都喜欢栽植鲜花,究竟有何寓意呢?就此,白居易在《僧院花》一诗中作了解答:"欲悟色空为佛事,故栽芳树在僧家。细看便是华严偈,方便风开智慧花。""华严偈",泛指使人开悟的经偈。"方便",意为进入禅境的方法、途径。诗中说,僧人要想领悟色空之理,可以用智慧的眼光去观照寺中栽植的花树,领悟花姿为色相,花开花谢,因缘而生,因缘而灭,"缘起性空"之意蕴。

梅 之 问

梅花绝句二首(选一)

陆游[①]

幽谷那堪更北枝,年年自分着花迟。
高标逸韵君知否?正是层冰积雪时!

　　此诗作于山阴,诗人时年六十六岁。诗中热情地赞颂了严冬季节开花于深谷中的寒梅。实则以花喻人,既是对不畏环境恶劣,勇于抗争,坚持崇高气节的志士的歌颂,也是诗人自况,表明一己晚岁的高标逸韵。
　　诗中说,梅花置身于终年不见阳光的幽谷,又兼枝条北向,处于这种加倍寒冷的环境,生存下来已属不易,又何谈开花绽蕊!"那(哪)堪"二字,极写环境、际遇的恶劣。这样一来,就不用说了,自然是着花很迟了。"自分",自己料定,二字颇占身份,透露出从容应对、恰然自得、宠辱不惊的意态。诗的前两句,集中展现寒梅自甘落寞、不与群花争艳的风骨与品格。
　　后两句,由叙述转入议论。诗人提出了一个问题——世人可知

[①] 陆游(1125—1210),字务观,号放翁。南宋著名爱国诗人,积极主张抗金,收复失地,激情浓烈,愤切慨慷。创作甚丰,有"六十年间万首诗"之称。

道:梅花这样高尚的品格、超逸的风度,是在怎样条件下锤炼而成的?诗人自答:"正是层冰积雪时!"一方面,以"层冰积雪"来烘托"高标逸韵",进一步突出了梅花傲对霜雪、不畏严寒的气节,这是深一层的写法;一方面,阐明了"艰难困苦,玉汝于成"的人生哲理。它和"宝剑锋从磨砺出,梅花香自苦寒来""不是一番寒彻骨,那得梅花放清香"等诗句,具有相同的意蕴。

　　一树寒梅迎风斗雪的明艳英姿,烘托着诗中暗喻的志士的高坚的气节、超拔的风骨,花与人交相辉映,实与虚相生相发,充满了诗情画意,营造出一种清隽超逸的特殊美感,堪称咏物诗中的绝唱。

梅 之 赞

落梅二首(选一)

陆游

雪虐风饕益凛然,花中气节最高坚。
过时自合飘零去,耻向东君更乞怜。

  颂扬梅花,是诗人词客笔下常见的主题。单是宋人就留下了大量脍炙人口的华章:赞赏梅花"疏影横斜""占尽风情"的娇姿逸态者有之;称许梅花"香不在蕊,香不在萼,骨中香彻"者有之;而"寻常一样窗前月,才有梅花便不同",更是极写梅花的丰神韵味。作为写梅的圣手,陆游笔下的梅花,却是一副气节高坚、凌风傲雪、壮志昂扬、不屈不挠的坚强斗士的精神形态。显而易见,这也是诗人自况、自许与自赞。

  首先,诗人为这一坚强斗士画了一幅肖像。空中,狂风凛冽,像古代凶兽("风饕")一般,呜呜地嘶吼着,烈雪纷飞,一树寒梅傲然挺立,枝头闪现着晶莹的花朵,风雪愈是肆虐,梅花愈是器宇轩昂,凛然无畏。就此,诗人下了一句力透纸背的断语:在千花百卉之中,寒梅的气节是至高至坚的。

  三、四两句,借助"落梅"主题的切入,作进一步的引申——即便是陨落了,那么,梅花也要顺应自然,随风飘去,恪守高洁的品格和坚贞的气节,而不屑乞怜于春神("东君")。应开便开,该落就落,毫不顾惜。

四句诗,实际上状写了梅花的两种生命形态:生也伟烈,无惧无畏,活要活出个样子,保持坚贞的气节;死也从容,顺天知命,但绝不会向"东君"跪下乞怜。诗人借物言志,高自标格,如闻其声,如见其形。

梅 之 嘱

梅花(六首选一)

陆游

一花两花春信回,南枝北枝风日催。
烂漫却愁零落近,丁宁且莫十分开。

诗中说,梅花是报春的使者,一枝两枝开放了,标志着春天已经返回了大地;无论是向南还是向北的枝条,东风煦日,都加倍地殷勤,紧急地催促着它们尽早地盛开。但是,可要晓得这样的道理:繁花到了烂漫盛开的时节,那就临近于凋谢、零落了。因此,诗人叮嘱梅花,放慢一点进度,且莫开到十分。

从《诗经》开始,在悠久的中国文学史中,就形成了色彩斑斓、光华四射的"花文化"。在如何看待花开花落问题上,诗人们的见解差异颇大,大别之有四类:深情脉脉者,可以陆游的"丁宁且莫十分开"、辛弃疾的"惜春常怕花开早"为代表;莫可奈何者,像杜牧的"花开又花落,时节暗中迁。无计延春日,何能驻少年",还有晏殊的"无可奈何花落去",应属此类;及时赏玩者,最典型的当数无名氏的"花开堪折直须折,莫待无花空折枝";淡然处之者,如北宋状元诗人郑獬的"花开花落何须问,劝尔东风酒一杯。世事正如沧海水,早潮才

宋 代 | 155

去晚潮来"。

若问笔者持何种态度,答曰:倾心陆老诗翁的七绝。这倒不是由于惜春,"老去簪花多自羞",已经没有那份情怀和逸趣了;我所欣赏的是他的哲思理蕴:月盈则亏,物极必反,因此,主张不到顶点,留有余地。当年,诗圣杜甫之所以深情无限地清吟:"繁枝容易纷纷落,嫩蕊商量细细开",正以此也。

道理很简单:"且莫十分开",既可满足人们赏花的热切愿望,又会产生一种"好戏还在后面"的审美期待。花未全开,色、香、味或许尚未达到极致,而其蓄势待发、有余未尽的潜在魅力,生机勃发的向上活力,则会给赏花人留有想象发挥的空间;而且,可能还会平添一份担心——牵挂本身就是一种吸引力:过后这些天可不能有疾风骤雨啊!

与这些在已经开放的花枝上做文章不同,日本诗人门濑谦的七绝《春寒》,则是将思路向前推进一步,做未开花的文章:"梅枝几处出篱斜,临水掩扉三四家。昨日寒风今日雨,已开花羡未开花。"

有人说:"最深的愉悦不是得到某样东西,而是在得到它之前的努力;最漂亮的东西,不是看到它时的表述,而是在看到之前的幻想;最美好的结局,不是那句'王子和公主从此过上幸福的生活',而是对那个未知结局的猜想。"这类微妙而复杂的心理活动,氤氲了审美的情趣,牵动着人们的想象力。

善读"无字之书"

冬夜读书示子聿(八首选一)

陆游

古人学问无遗力,少壮工夫老始成。
纸上得来终觉浅,绝知此事要躬行。

这是老诗人七十五岁时,在故里山阴,写给最小的儿子子聿的。诗共八首,此为其三,内容是劝勉他刻苦向学,勤奋努力,并且要从切身实践中体悟。

前两句从古人治学的经验谈起:做学问乃终身事业,最忌浅尝辄止,时作时辍,必须不遗余力,持之以恒,就是说,要竭尽毕生精力,孜孜以求;而且,还要从小就下苦功夫,这样,成年以后,才可望有所成就。诗中突出讲了"无遗力"与"少壮工夫"两个要点。后两句是对前面的补足,强调了躬行实践的极端重要性。指出,只有书本知识还不够,应须善读"无字之书",获取切身体验,掌握实际操作本领。

马克思晚年给女儿劳拉讲过一则寓言:一个船夫摆渡一位哲学家过河,哲学家问船夫懂不懂得历史,船夫说不懂,哲学家说:"那你就失去了一半的生命。"又问:懂不懂得数学?船夫说不懂,哲学家说:"那你又失去了一半的生命。"这时,一阵大风把小船吹翻,两人都落了水。船夫问哲学家:会不会游泳?回答说:"不会。"船夫说:"糟了,那你就失去了整个生命!"

这里绝没有轻视书本知识的意思,只是说,单有书本知识还不够。从中我们可以领悟一个深刻的道理:作为人的自身素质的重要组成部分,知识和能力同等重要,二者缺一不可。如果再上升一步,把它提到认识世界与改造世界的高度,那么,我们会记起革命导师马克思的一句名言:"哲学家们只是用不同的方式解释世界,而问题在于改变世界。"

中国古代哲学家荀子有言:"不闻不若闻之,闻之不若见之,见之不若知之,知之不若行之。"

"纸上得来"的东西毕竟根柢不深,必须经过亲身的践履,才能加深认识,化为己有。联系到陆游另一首《示子聿》诗中的"汝本欲学诗,工夫在诗外",看得出来,老诗人突出强调关注社会人生、立德树人。两相对照,对此可以有更深刻的理解。

这首诫子诗,以说理见长,句句都作议论,句句都蕴含着丰富的切身体验。诗中概述了为学必须刻苦,要重视"少壮工夫",特别强调躬行实践等规律性的认识。说的是读书、为学,实际上,可以推而广之,运用于立身行事各个方面,具有普遍性价值。

为海棠鸣不平

海棠二首(选一)

陆游

蜀地名花擅古今,一枝气可压千林。
讥弹更到无香处,常恨人言太苛深!

何谓"蜀地名花"?原来诗人指的是四川成都一带的海棠。《花谱》云:"海棠盛于蜀。"《益都方物志》也有"蜀之海棠成为天下奇绝"的记载。诗人说,这里的海棠气概非凡,一枝独秀,足以艳冠千林。如果出于个人爱好,你完全可以不欣赏它;但令人气愤的是,有的人却刻意求全责备,"鸡蛋里挑骨头",不近情理地讥评它:说什么美则美矣,可惜没有香味。如此挑剔,实在是毫无道理。对此,诗人给它加了"苛深"这个词儿。"苛",苛刻、苛薄、苛责;"深",深文周纳,罗织罪名。"苛深",一般指苛刻、歪曲地引用法律条文,把无罪的人定成有罪,或者不根据事实,牵强附会地给人横加罪名。

诗人这么说,并非无的放矢,而是实有所指。据北宋诗僧惠洪《冷斋夜话》记载,有一个叫彭渊材的人,说:吾平生所恨者,有五件事:"第一恨鲥鱼多骨,第二恨金橘太酸,第三恨莼菜性冷,第四恨海棠无香,第五恨曾子固(曾巩)不能作诗。"

诗中做的是海棠的文章,实际上可以推及度事量人、辨材取士问题。从品评花卉中,领悟知人论世的学问。唐代宰相陆贽说过:"人之才行,自昔罕全。苟有所长,必有所短。若录长补短,则天下无不用之人;责短舍长,则天下无不弃之士。"一个人的精力、时间有限,有所为必有所不为,有所专必有所偏。这不是提倡偏,也不是不愿意做到面面俱全,而是客观条件不允许。"非不为也,是不能也"。而更可恶的是,不顾实情,深文周纳。前者求全责备,属于思想僵化,认知片面;后者则有嫉贤妒能、蓄意倾陷之嫌。

不论哪种情况,其为压制人才则一。如果按照此辈的逻辑,人必完美无缺而后可用,那么可用之人还能有吗?古往今来,这种"求全之毁",不知葬送了几多人才,演出了多少埋没英杰的悲剧!有鉴于此,一向温乎其情、蔼然其容的陆老诗翁,在"苛深"前面特意加了"常恨"二字,可谓愤激之至。

读史写史者戒

读史

陆游

南言莼菜似羊酪,北说荔枝如石榴。
自古论人多类此,简编千载判悠悠。

荀子有言:"凡人之患,蔽于一曲而暗于大理。"这在读史、写史、论史中并不鲜见。有感于此,剑南诗翁作诗予以讽刺。诗以"读史"为题,意在指斥有些史家不明真相而对历史人物胡乱作出判断;但他不是直说,而是借用两个常见的事例来作比喻。他说,就像一些南方人不知道羊酪是什么,出于臆断,就说羊酪像浙江杭州一带出产的莼菜一样,入口滑溜;而北方人未见过荔枝,就说荔枝和石榴差不多,因为它们都是圆形。自古以来,这种以耳为目、以偏概全、想当然地知人论世的现象,确属常见。对此,千秋简册记载分明,是有据可查的。

读史失误情况,尽如上述;那么,写史呢?同样存在罔顾史实的事例。当代作家、艺术家黄苗子有言:"我国历朝的正史,都是下一朝代的人写上一朝代的事,事情久了,便不免和真相有出入";"当代人写当代史,毛病也不小,例如北齐的魏收,写过《魏书》,那时北魏还没有全亡,有些权贵子弟就用钱物贿赂魏收,要魏收把他的先代写得好一点,魏收受贿后感到满足,就歪曲事实来表扬那个人的祖宗,对不愿贿赂的,就肆意诋毁人家的上代。恨得那些北魏官僚的后代牙痒痒,纷纷骂魏收的《魏书》为'秽史'"。也正是有鉴于此吧,关于写史、论史,明人冯梦龙就有"谈何容易"的感慨:"不有学也,不足谈;不有识也,不能谈;不有胆也,不敢谈;不有牢骚郁积于中而无路发摅也,亦不欲谈。"

　　陆游有学、有识,且勤于读史,老而弥笃,像他在自述诗中所写的:"别驾生涯似蠹鱼,简编垂老未相疏","一编蠹简青灯下,恰似吴僧夜讲时"。就连本诗中所随手引述的两处比喻,也都可以在史书中找到根据。关于莼菜,《晋书》记载:陆机"尝诣侍中王济。济指羊酪谓机曰:'卿吴中何以敌此?'(陆机)答云:'千里莼羹,未下盐豉。'"关于荔枝,据《广志》称:荔枝"青华朱实,大如鸡子,核黄黑似熟莲子,实白如肪,甘而多汁,似安石榴,有甜酢者。"诗人出语极为谨严,绝不做臆想、无根之谈。

廉而后可

书室名"可斋",或问其义,作此以告之

陆游

得福常廉祸自轻,坦然无愧亦无惊。
平生秘诀今相付:只向君心可处行。

诗人说,我的书房名叫"可斋",有人问它的含义,我便写了这首诗告诉他。

前两句说,一个人若能常葆清廉,自然就会远离灾患,福重祸轻。这样,就能心地坦然,安然自得,对内,不会因失德而愧怍,对外,不会因察劾而惊慌。"得福常廉祸自轻",应是"常廉得福祸自轻",适应韵律要求,作倒装句处理。

三、四两句,作了收束、概括,说平生我有一个秘诀,现在奉告给各位,就是只向着良心认可之处立身行事。可见,"可斋"也者,不要违背良心而已。

诗中有两个关键词,一曰"廉";二曰"可"。古人说:"廉,人之高行也。""廉"有多义:廉正,表明清廉正直,不徇私情;廉洁,表明洁身自守,不苟取,不贪腐;廉平,表明处事公平,刚正不阿;廉明,表明清正明察;廉能,表明果决能干。"可",意为认可。人们把满意、喜爱

叫可心,把称心如意的人叫可儿,把令人怜爱叫可怜见,衣服合体叫可身。在这里,可,作正确与适宜理解,是作为标尺、标准来用的。就是说,只求自己的良心认可。

综上所述,看得出来,"廉"是前提,"可"是结果,"廉"是实现"可"的根本保证。一个人如果贪得无厌、徇私舞弊,必然整天处于患失患得、惊惶忐忑之中,又有什么良心认可之可言呢!

逍遥阅世

一壶歌

陆游

长安市上醉春风,乱插繁花满帽红。
看尽人间兴废事,不曾富贵不曾穷。

陆游曾以"一壶歌"为题,写过五首七绝,此是其中一首。

道家典籍中,有"壶中别有天地"之说,常以"一壶"比喻整个宇宙或者神仙世界。李白、刘禹锡也都分别写过"何当脱屣谢时去,壶中别有日月天","笙歌五云里,天地一壶中"的诗句。陆游在这首诗中,同样借助这一题目,抒发他的冷眼观世、淡泊超然、笑傲人生的生活态度与价值取向。

但他不是空发议论,而是采取形象描述的手法。诗一开头,就描绘出一幅《闹市逍遥图》:暮春时节,一位"隐于市"的逸士,提着一把酒壶,醉眼蒙眬,却是悠然自得、意态从容地徜徉在长安市上。这个"长安市上",显然是借用杜甫《饮中八仙歌》中"李白斗酒诗百篇,长安市上酒家眠"之句。不同的是,杜诗实指唐代都城长安,而本诗则是泛指繁华都市。诗人说,这位隐逸之士帽子上插满鲜红的花朵,走遍了酒楼茶肆,沉醉在春风浩荡之中,冷眼看那市井繁华,人间兴废;

终于发现,到头来,世间不过是醉梦一场,很难说谁是长富长贵,谁是久困久贫的,所以,也就用不着为眼前的得失、荣瘁、穷达而劳神苦心了。

这种人生态度,深受道家与佛禅的影响,有其消极的一面;但是,它对于那些汲汲于名利、营营于市朝,心为形役而不知止足的人们,会起到当头棒喝、击一猛掌的警策作用。小而提醒人们充分享受秉持平常心、做个普通人的乐趣;大则可以看穿世事,参透人生,认识到世事翻覆、盛衰无常,人间兴废不过是浮云过眼,倏忽烟消,从而放怀达观,逍遥阅世。

诗中即景抒怀,把眼前景象同苍茫、辽阔的身外时空,以及深邃、邈远的内心世界,在更高的艺术层面上协调起来,对短暂与永恒、有常与无常、存在与虚无,进行了探索和叩问。

净洗尘襟

排闷(六首选一)

陆游

西塞山前吹笛声,曲终已过雒阳城。
君能洗尽世间念,何处楼台无月明!

此诗作于山阴,诗人忆及当年在长江上乘船出蜀时的情形。笛声初起,尚在长江中段,西塞山在今湖北大冶东长江边,一名道士矶;而一曲方终,已经进入了下游。雒阳城:据考证,此非河南之洛阳,因方位不合。古城位置应在长江末段。

诗中以行舟之急速,暗喻人生同样过得飞快,转眼就是百年。如果把事情想开了,排除那些目光短浅的功利性的世间俗念,净洗尘襟,就会无往而不适意,顿感天高地阔,处处楼台都有月明,人生道路总是越走越宽的。

作为一位伟大诗人,陆游感情极为丰富。钱锺书先生说,"他看到一幅画马,碰见几朵鲜花,听了一声雁唳,喝几杯酒,写几行草书,都会惹起报国仇、雪国耻的心事,血液沸腾起来"。而他的人生遭际却颇不顺畅,无论是仕途上、情感上,都曾受到过重大的挫折,可说是怀有深悲剧痛。翻开一部《剑南诗稿》,随处可见《忧国》《哀郢》《书愤》《书叹》《舒悲》《感愤》之作。但他能够看得开、放得下。前路不通时选择转弯；心中郁塞时及时排闷，经常处于心灵自由、意态旷达的超然状态。

  前面的《一壶歌》，形象地展示了这种心灵轨迹。而本诗中的"何处楼台无月明"，则堪称警俗醒世的七字箴言。这既是诗翁能够顺利度过重重困顿、颠折的特殊法宝，也是得以寿登耄耋之年的一项重要保证。

成功原非偶然

能仁院前有石像丈余,盖作大像时样也

陆游

江阁欲开千尺像,云龛先定此规模。
斜阳徙倚空三叹,尝试成功自古无。

这是一首即事论理的述怀诗。

关于能仁院的石像,宋·王象之《舆地纪胜》中有如下记载:在嘉州(今四川乐山)府城西门外,有一座石雕的弥勒佛,很像乐山凌云大佛像,但没有那么大。人们说,这是唐代海通和尚造乐山大佛时参照的蓝本。因此,山门榜额为"古像山"。待到乐山大佛建成后,便在这里修建一座保护佛像的大像阁(江阁)。

题称"能仁院前有石像丈余",诗人便从石像写起。说,当年海通和尚确定雕塑凌云大佛这一宏誓大愿之后,首先想到的是找一个可供取法的蓝本。这样,就选中了能仁寺的弥勒佛石像。"云龛先定此规模",概述了佛龛、佛像的尺寸和取法的程式、样板以及筹划过程。言下之意是,这些还只是意象功夫,要使它成为现实,谈何容易!

接下来,诗人讲他面对大佛样本所做的思考与论断。"斜阳徙

倚空三叹",是个过渡性的句子。描写诗人看到这个样本佛像时,在斜阳下往复徘徊,感叹再三。他从凌云大佛的雕塑历时九十年,经过三代工匠艰辛拼搏,方始大功告成这一事实,认识到,成功原非偶然,它是反复尝试(摸索、探求、试验)的结果。就此引出了最后一句断语——设想浅尝辄止、一蹴而就,一举完成宏图伟业,这是自古以来所绝对没有的。

凿破鸿蒙

读《易》

陆游

揖让干戈两不知,巢居穴处各熙熙。
无端凿破乾坤秘,祸始羲皇一画时。

同宋代其他许多作家一样,陆游也特别喜读《周易》,而且有深湛的研究。他有一组《读易》诗,讲他晚年以衰病之躯研读《周易》的情景和体会:"羸躯抱疾时时剧,白发乘衰日日增。净扫东窗读《周易》,笑人投老欲依僧";"老喜杜门常谢客,病惟读《易》不迎医"。他不仅自己读,还给小儿子写诗,让他也读,说唯独《周易》没有被秦始皇烧毁,读起来,字字句句,鞭辟入里,都像亲自见到圣人一般。你现在还小,而我已经年老,以后你应当终身致力于学问研究。

本诗就是他《读易》组诗中的一首。诗人运用生动的形象、风趣的语言,描绘了人类从混沌蒙昧状态开始走向文明进程的场景:原始初民浑浑噩噩,巢居穴处,整天无忧无虑,笑语熙熙,既不懂得干戈扰攘,也不知道什么礼乐文德。偏偏是伏羲皇爷多事,他要仰观天象,俯察大地,近取诸身,远取诸物,制作了神奇的"八卦"——先创造出代表阴阳这两个最基本元素的符号:一条线段为阳爻,两条短线段为阴爻,画一奇以象阳,画一偶以象阴,随后根据阴阳合一、阴阳相对、阴阳互动的变化,揭开了乾坤的秘密,设置下"男女之大防"。这样一来,便凿破了鸿蒙,从而开启了千秋万代的"文明之窗",使远古先民从混沌蒙昧中逐步走向文明的殿堂。不过,自此也就惹出了无穷的"麻烦"。在这里,诗人很俏皮地用了"祸起"二字,正话反说,也算是"幽"伏羲皇爷一"默"。

在甘肃天水的伏羲庙,挂有"一画开天"的匾额,其意蕴是,伏羲氏在质朴、简易、不带任何框框的原始思维状态下,经过不断探索和深层次的考察,从具体的事物中抽象出阴和阳这两个最基本的元素,并用"八卦"这种特殊语言表达出来,揭示出自然万物的生成法则、演化规律,从而开启了人们认识世界的闸门。

"无端凿破乾坤秘",在西方也有类似事例。黑格尔说过:"亚当和夏娃在从知识树上摘食禁果之前,都赤裸裸地在乐园里到处游逛。但是,一旦他们有了精神的意识,意识到自己的裸露,就感到羞耻。"

诗人也好,哲人也好,在这里只是"戏说"凿破鸿蒙、实现文明发展的进程,绝对没有否弃社会进步的意思。这一点,读者诸君该是尽皆清楚的。

过来人的开悟

秋晚思梁益旧游(三首之二)

陆游

忆昔西行万里余,长亭夜夜梦归吴。
如今历尽风波恶,飞栈连云是坦途。

组诗是诗人回归浙东山阴故里闲居时,为怀念往昔旧游之地而写的,此为其中的第二首,时年六十六岁。

诗题中的"梁益",为西南二州,在陆游诗词中多见。梁州治所,在陕西汉中南郑县;益州范围,包括今四川盆地和汉中盆地一带。陆游四五十岁时,曾有十年左右时间,在梁、益间东奔西走,迁徙不定,历尽艰辛。当日有诗记载:"十年走万里,何适不艰难?"其间,在陕南汉中抗金前线,诗人还曾出任过军职,所谓"匹马戍梁州"是也。

诗人从忆旧着笔,重点写他万里西行中当时的心理活动。由于行役艰苦,更易勾起那剪不断、理还乱的浩荡乡愁,几乎每天夜晚都会在梦中回归远处吴地的故里。李白《菩萨蛮》词,有"何处是归程?长亭更短亭"之句。古时驿路上,大约每十里设一长亭,负责给驿传信使提供馆舍、给养等服务,又是亲友送别之处。因而诗人便以"长亭夜夜梦归吴"来抒发自己的情怀。组诗第三首:"沧波极目江乡

宋代 | 173

恨,衰草连天塞路愁。三十年间行万里,不论南北怯登楼。""江乡恨""怯登楼",典出东汉末年文学家王粲《登楼赋》。宋初李九龄有句云:"总是动人乡思处,更堪容易上高楼。"

后两句,由昔日入蜀的情思转写眼前的心境。诗人运用对比、反衬手法,通过展示自己的人生旅程,反映出深刻而实际的心灵感悟与生命体验。他说,年轻时节,历练不足,稍稍碰到一些艰难,就要思乡怀土;现在,沧海惯经,风波历尽了,什么样的艰难险阻,都已不在话下。"风波恶",指宦海浮沉。陆游入蜀前曾遭罢免,在蜀中被调到成都府安抚司任参议官,又以"宴饮颓放"的罪名,遭到罢免官职的厄运。由于历尽人生磨难、官场风波,作为过来人,眼前即便是"飞栈连云",也都如履平地,视为坦途了。这里蕴含着深刻而实际的哲理。

诗人感怀旧事,在作险境与坦途对比时,便也运用当地的实例。《战国策》载:"秦栈道千里,通于蜀汉。"陕西栈道长达四百二十里,褒城县北有"连云栈",这当是"飞栈连云"一语的出处。

诗堪警世

蛩

范成大[①]

壁下秋虫语,一蛩鸣独雄。
自然遭迹捕,窘束入雕笼。

夜幕降临,墙根处秋虫乱语,随处都能听到蟋蟀("蛩")的鸣声,就中有一只叫得特别雄强豪壮,其自鸣得意、趾高气扬之态,宛然如见;结果被人们按迹寻踪,捕获到手,陷身雕笼之后,现出一副惶悚、颓靡的窘态,再也没有半点生气了,这同被捕入笼之前,形成鲜明的对比。诗中形象生动,构思奇巧,而且寓意深刻,颇有警世作用。

解读本诗,人们会很自然地联想到《庄子·徐无鬼》篇讲的"骄猴中箭"的故事:吴王渡过长江,登上一座猴山。群猴看见人来,都惊慌地逃到荆棘、丛林中。只有一只猴子,不甘寂寞,在吴王面前,尽情卖弄灵巧的身手,结果,在众箭齐发下,骄猴被射死了。这同诗中那个"鸣独雄"的秋蛩,恰好是一对"难兄难弟"。范氏此诗,可以看作是庄学一解。童蒙读物《增广贤文》中,也有"枪打出头鸟"之句,

---

[①] 范成大(1126—1193),号石湖居士。绍兴年间进士。政绩颇著,曾使金,不畏强暴,刚直有气节。工诗,为"南宋四大家"之一。

与此同义。这里所讽刺、所鞭笞的,是那些骄横跋扈、意态狂豪、逞才露己、肆意张扬者流。堪称是地地道道的警世恒言。

  与此相关,从正面的意义上,还可以引申到韬光养晦、藏锋不露和以柔克刚、谦卑自抑的人生智慧方面。《道德经》《庄子》等古籍中,关于这方面的论述很多。老子有言:"江海之所以能为百谷王者,以其善下之,故能为百谷王。""后其身而身先,外其身而身存。""兵强则灭,木强则折。""揣而锐之(锋芒毕露),不可长保;金玉满堂,莫之能守;富贵而骄,自遗其咎(自取祸患)。功遂身退,天之道。"庄子反复告诫,处兹乱世,应该"自埋于民,自藏于畔",即便才德出众,也要形同无知,大智若愚,像是无知的婴儿一样;真正做到"行贤而去自贤之行","恬淡寂漠,虚无无为"。

祸莫大于不知足

偶事

范成大

出处由来不系天,痴儿富贵更求仙。
东家就食西家宿,世事何缘得两全!

诗人首先指出,人生的境遇如何,要靠着个人去努力争取,从来都不是天生命定的。接下来,话锋一转,说虽然要靠自身努力争取,但也必须从实际出发,不能异想天开,不着边际,更不能欲望无边、贪得无厌、世上有一类于世事懵懂无知的"痴儿女",要钱有钱,要势有势,什么名利、地位都有了,却仍然不知止足,还幻想成仙得道,长生不老。正像古书《风俗通》中所说的,齐国有个女子,东西两家都向她求婚。东邻豪富,但其子弟丑陋,西邻男子漂亮,家里却很困顿贫穷。世事没有两全,总须做出取舍。可是,这个齐国女郎,在面临抉择的情况下,不是权衡得失,任择其一,而是兼收并蓄,两下通吃,竟要同时嫁给两家,在东家享受锦衣玉食,和西家的靓男睡在一起。什么便宜都想占,哪一样也不肯放手。

针对"人心不足蛇吞象"、贪得无厌、欲壑难填的现实,古代哲人老子发出警告:"罪莫大于可欲,祸莫大于不知足,咎莫大于欲得";

庄子在《盗跖》篇,也借助知和之口,告诫世人:"平为福,有余为害者,物莫不然,而财其甚者也。"都是强调知足知止。知足,是就得之于外而言,到一定程度就不再索取;知止,是从内在上讲,主动结止、不要。知足,使人不致走向极端,不会事事、处处与人攀比。一个人活得累,小部分原因是为了生存;大部分来源于攀比。知止,可以抑制贪求,抑制过高过强的物质欲望。

世上常情是:"身后有余忘缩手,眼前无路想回头。"庄子曾慨乎其言:"一受其成形,不亡以待尽。与物相刃相靡,其行进如驰,而莫之能止,不亦悲乎!"一个人的追求应该是有限度的,必须适可而止;不属于自己的东西,不能贪得无厌,穷追不舍。否则,让名缰利锁盘踞在心头,遮蔽了双眼,那就会陷入迷途,导致身败名裂的悲剧下场。

此心安处

题钓台

范成大

山林朝市两尘埃,邂逅人生有往来。
各向此心安处住,钓台无意压云台。

诗人曾经先后四次游览桐庐,登临富春山麓的严子陵钓台。严光,字子陵,东汉名士,在此间渔钓终生,隐居不仕。本诗是诗人首次登钓台时题咏的,后来,他还曾写作十首钓台诗词。

作为咏史诗,当然要涉及史事,但在写法上又与一般的述史、论史文字有异,咏史诗不重史事的陈述,而是着眼于独抒己见,发表对于有关史事的看法。诗人说,人生在世,互有往来,不过是偶然相遇。言下之意,比如这次登临钓台,接触东汉时的严子陵,就很偶然。其实,无论是严子陵那样的隐居山林,还是大多数人的追名逐利,奔走朝市,到头来统统将化作尘埃,变成虚无。关键句子,或者说一诗之纲领,是"各向此心安处住"。退隐也好,为官也好,各行其是,只要此心相安就行。这样,也就不存在以钓台压云台、以出世贬入世的问题了。

"此心安处",语有所本:白居易诗中有"我生本无乡,心安是归处"(《初出城留别》),"无论海角与天涯,大抵心安即是家"(《种桃杏》)等语;苏轼在《定风波》词中也有"此心安处是吾乡"之句。

云台,始建于东汉明帝时,朝廷因追念前世功臣,而在南宫云台为邓禹等二十八人画影图形。后世用来泛指纪念功臣名将的场所。诗文中常把云台与钓台对举,表明仕与隐、入世与出世两种截然不同的处世态度。

范氏此诗,是有直接针对性的。北宋名臣范仲淹《严陵祠》一诗中,有"世祖(光武帝)功臣三十六,云台争(怎)似钓台高"的断语。在范成大看来,此说有些绝对化,对于尊隐的钓台与尚功的云台,不必硬要分出个你高他低来,为仕为隐,不妨各行其便,只要此心相安就可以了。

怎一个"愁"字了得

江上

范成大

天色无情淡,江声不断流。
古人愁不尽,留与后人愁。

在这首即景抒怀的小诗中,诗人采用了巧妙的表现手法,先是赋予眼前的景象以感情色彩——天色暗淡,淡到无情的程度;江声喧响,响起来就永不间断,用以烘托自己的内心感受。而在这种景象的笼罩与感染之下,诗人的无边愁绪,很自然地被挑动出来。前两句,讲的是这一客观景象与诗人主观感受的交流互动,核心在于烘托一个"愁"字。

后两句,则是围绕这个"愁"字,谈今人与古人内心情感的交流互动。今人的愁与古人的愁原本互不相干,诗人说,把愁"留与后人"了,似不可解——作为一种情绪,愁又不是物质,怎么能够留仵、转交呢?原来,古人与今人之间的情感联系,借助于两种媒介:一是相同的景象、境遇可以引发类似的情感;二是古人通过诗文把这种情绪传播开来,使后人读后感同身受。

古代诗人集中写愁的,滥觞于曹植,中经庾信及唐宋众多诗人,许多名章隽句,像"谁知一寸心,中有万斛愁""深藏欲避愁,愁已知人处""问君能有几多愁,恰似一江春水向东流""只恐双溪舴艋舟,载不动许多愁""算空有剪刀,难剪离愁万缕"等,都是善于将无法传递、不能移交的情绪,用可以感知的语言表达出来,并且被赋予特殊的文化意蕴,从而对后世产生深远的影响。

　　这里体现出一种耐人寻味的哲思理蕴。愁思也好,欢愉也好,昂奋也好,"含情而能达,会景而生心,体物而得神"(王夫之语),这一切情感的传递,使文学艺术功能的发挥成为可能。也正是为此,列夫·托尔斯泰才斩截地说:"艺术是感情的传递。"

生死观的诗性表达

重九日行营寿藏之地

范成大

家山随处可行楸,荷锸携壶似醉刘。
纵有千年铁门槛,终须一个土馒头。
三轮世界犹灰劫,四大形骸强首丘。
蝼蚁乌鸢何厚薄,临风拊掌菊花秋。

读过《红楼梦》的文友,当会记得第六十三回中所记的妙玉那番话:"古人中自汉晋五代唐宋以来,皆无好诗,只有两句好,说道:'纵有千年铁门槛,终须一个土馒头。'"诗作者范成大确有"清新妩媚,奄有鲍谢;奔逸隽伟,穷追太白"(杨万里语)之高誉,这两句诗也真的很精彩;但若说只有它是好的,则有失偏颇。妙玉毕竟不是文学史家,"阿私所好",和她自称"槛外之人"有直接关系。

诗题"重九日行营寿藏之地",旧有注云:"此范石湖自营寿藏诗也。"这从紧列此诗之后的七律《得寿藏于先陇(祖坟)之旁,俯酬素愿,感慨交怀》,亦可看出。两诗当是其晚期作品。

重阳节这天,诗人出郊营求生圹,为诗寄慨,形象地宣示了他的生死观以及对于生命规律的清醒认识。"行营"一词有多义,此处意为营求、谋划。《史记·淮阴侯列传》:"母死贫无以葬,然乃行营高敞地"。"寿藏",亦称生圹,即生前预设坟地。

首联说的是,一瞑之后,随地都可以埋葬,要像刘伶那样旷达、超脱。楸树可做棺材;"行楸"引申义为封棺掩埋,典出晋·潘岳《怀旧赋》:"岩岩双表,列列行楸。""醉刘"指刘伶。《晋书》本传载:刘伶"常乘鹿车,携一壶酒,使人荷锸而随之,谓曰:'死便埋我。'"

颔联为全篇之枢要。说的是,豪强富冑、帝子王孙,即便拥有千年不会毁坏的铁门槛,最终也还要乖乖地进入"土馒头"(坟墓)里。这里化用了唐·王梵志的两首诗:"世无百年人,强作千年调。打铁作门限,鬼见拍手笑。""城外土馒头,馅草在城里。一人吃一个,莫嫌没滋味。"元人散曲中也有"列国周秦齐汉楚,赢,都变做了土;输,都变做了土"之句。都是警策至极,无异于向那些疯狂聚敛、贪求无餍者击一猛掌。

颈联引佛教语。清人沈钦韩注曰:"《华严经》云:三千大千世界,依于水轮、风轮、空轮,不言金轮者,文略也。""'四大'者,地、水、火、风。《三藏法数》云:因对色、香、味、触'四微',故称为'四大'也。"佛典义理幽微,殊难语解。窃以为,两句诗的大致意思是:俗世不用说了,即便是佛家说的"三轮"世界,最终也要在"大三灾"中化作火劫的余灰;而人的形骸,这"四大和合而身生"的躯体,到头来更是要回归故土,落叶归根("首丘")。"强",读第四声,意为硬要、固执。

尾联接下来说,其实,人的尸体不过是乌鸢(乌鸦、老鹰)与蚂蚁的食物,也没有太大的必要非得封棺埋坟不可。想到这些,我们尽可以放开眼光,迎着秋风,面对菊花,拍手大笑("拊掌")了。《庄子·列御寇》篇讲,"庄子将死,弟子欲厚葬之",说:"吾恐乌鸢之食夫子也。"庄子曰:"在上为乌鸢食,在下为蝼蚁食,夺彼与此,何其偏也。"意思是,你把我封棺葬在土里,照样会被蝼蚁吃掉,没有必要厚此薄彼呀！古有重阳赏菊的习俗，"菊花秋"三字，乃是照应诗题"重九"。

这是一首典型的哲理诗，通篇都是讲述如何观照生命、对待生死包括死后遗体的处置问题。

其一，诗人的生死观与生命哲学，充满诗性的审美的思辨，蕴含着庄禅的机锋玄邈的形上色彩。这里存在着偶然与必然的关系——佛家的"三轮"世界也好，俗世的"四大"形骸也好，同生命一样，都不过是偶然的有限的存在；而生是死前的一段过程，死去就是回归自然，回归永恒的家园，则是必然的不可移易的自然规律。

其二，生不带来，死不带去，"纵有千年铁门限，终须一个土馒头"。旧籍里还有一则韵语，讥讽那些贪得无厌，妄想独享人间富贵、占尽天下风流的暴君奸相："大抵四五千年，着甚来由发癫？假饶四海九州都是你的，逐日不过吃得半升米。日夜宦官女子守定，终久断送你这泼命。说甚公侯将相，只是这般模样；管甚宣葬敕葬，精魂已成魍魉。"

其三，相对于精神来说，形体不过是一件存贮器；取之天地，返诸天地，万物死生均安处于天地的怀抱之中。诗人说，这样一来，就不妨像"醉刘"那样，"荷锸携壶"，醉死了随地便埋。至于是喂蝼蚁还是喂乌鸢，都无所谓，没有必要厚此而薄彼。

这些深刻而透辟的哲思埋蕴，诗人都是通过立象寄意，使事用典，把哲思化为可以感知的形象符号，表现为一种恰到好处的点醒。只见理趣、理蕴，而不涉理障、理语。

可贵的发现

小池

杨万里[①]

泉眼无声惜细流,树阴照水爱晴柔。
小荷才露尖尖角,早有蜻蜓立上头。

诗人运用白描手法,勾勒出一幅荷塘初夏的优美画面:泉水悄无声响地细细穿流,池畔的绿树倒映在水里一片晴柔,这种清丽的景色、绰约的风姿,人们看了,从心里滋生出惜爱之情;而最是逸趣横生,充满灵气,让人眼睛一亮的,是那刚刚露出尖尖细角的小荷,被敏锐的蜻蜓发现了,早早地停立在上头。

诚然,诗人的主要兴趣,确是放在观察与描画天然景物方面;但他并没有停留于就景写景,而是独辟蹊径,做到景里含情,景中见理。本诗的动人之处,在于通过小小蜻蜓这发现自然之美的物象,提示人们应该敏锐地发现新生事物,捕捉扣人心弦的瞬间。

诗的艺术特色鲜明,情趣浓郁,刻画细腻,气韵生动,活泼自然,充满诗情画意。像潺潺的泉水一般,诗章清丽、清新、清澈,令人赏心

[①] 杨万里(1127—1206),自号诚斋。南宋绍兴年间进士。为人正直敢言,不畏权势。诗风新鲜泼辣,富有情趣,时称"诚斋体"。

悦目。诗人笔下的植物也好,动物也好,泉流也好,一体鲜活跳跃,有知觉,有情感。泉眼知道"惜",树阴懂得"爱",小荷主动地崭露头角,蜻蜓敏捷地叶尖亮相,逸趣横生,诗意盎然。特别是小荷上的蜻蜓,堪称一个耀眼的主角,成为全诗中的点睛之笔。这里有两个可贵的发现:眼光敏锐的蜻蜓发现了挺起尖尖角的小荷;而眼光同样敏锐的诗人,又发现了这个诗一样空灵、画一样妍美的蜻蜓卓立小荷的典型物象。

钱锺书先生赞曰:诗人"努力要跟事物——主要是自然界——重新建立嫡亲母子的骨肉关系,要恢复耳目观感的天然状态","用敏捷灵巧的手法,描写了形形色色从没描写过以及很难描写的景象","作出活泼自然的诗"。

山行的辩证法

过松源晨炊漆公店六首(其五)

杨万里

莫言下岭便无难,赚得行人错喜欢。
正入万山圈子里,一山放过一山拦。

经学者考证,松源地处皖南山区。诗人于绍熙三年(1192)在建康江东转运副使任上外出过此,晨起在漆公店举火、进餐。

诗句浅显易懂,说的是常理常情——人们走山路都有类似体验:由于缺乏思想准备,往往是过了一个山头,便以为前面是一马平川了;实际上却是过了一山还有一山,结果是空欢喜一场。说明对于前进道路上的困难要有充分的估计,不可盲目乐观,不能为一时一地的成功而沾沾自喜。

在艺术手法上,可说是异彩纷呈,令人眼花缭乱。首先,这类富有哲思理趣的诗,一般写法往往是先状实景,后发议论;而此诗却是颠倒过来,前半部是议论,后半部是描摹,生面别开,令人耳目一新。

其次,虚实相生,表里互映。表面上,写山行中的心理反应、具体感受,实际上却是寄寓一番人生哲理。翻山越岭,这是实写;而内蕴是揭示生活中的哲理——如同崎岖山路一样,人生中充满叠叠重重的艰难险阻,因而无论做什么事,都需要对前进道路上的困难做出充分的估计,不要被一时的成功所陶醉,不能盲目乐观和简单化。即事明理,这是虚写。

再次,诗中运用比喻和拟人的修辞方法。以下岭爬坡、曲折艰难比喻人生之路;而"赚得行人"与"山放""山拦",则是赋予山以人的性格、意向、行为,从而收到形象生动、妙趣横生、表现力强的艺术效果。

最后,曲折有致,变化多端。"大抵浅意深一层说,直意曲一程说,正意反一层、侧一层说"。(清·陈衍《石遗室诗话》)

一室不扫　何谈天下

读《陈蕃传》

杨万里

仲举高谈亦壮哉,白头狼狈只堪哀。
枉教一室尘如积,天下何曾扫得来?

《后汉书》中记载:东汉名臣陈蕃,十五岁时闲处一室,而庭宇荒秽。他父亲的好友薛勤来看他,因问:何不洒扫以待宾客?陈蕃说:"大丈夫处世,当扫除天下,安事一室乎!"薛勤在赞扬他的清世大志的同时,又反诘一句:"一室不扫,何以扫天下?"本诗正是从这一反诘中生发出来的。

诗中说,陈蕃少时的这番高论,听起来倒是意气风发,壮怀激烈;无奈,他的晚年却是"白头狼狈",惨遭杀害,不免令人哀怜而已。那么,问题出在哪里呢?他空怀一番"清世大志",但是,"不积跬步,无以至千里",由于未能从实际出发,枉自造成"一室尘积",而"扫除天下"云云,自然也就无从谈起了。诗中警示人们,应该务求实际,不尚空谈。一个人树立雄心壮志,固然可嘉,但要实现自己的远大理想,犹如登山,只有脚踏实地,一步一个台阶地走上去,最终才能到达光辉的顶点。

受咏史诗体例的限制,诗人当然只能从陈蕃的一个侧面着眼,抒发一己之感慨。如果作整体评价,陈蕃勇于同外戚、阉宦作斗争,立朝刚正,不畏强权,犯颜直谏,最后与大将军窦武共同谋划剪除阉宦,事败而死,为国捐躯,还是不失为一代贤臣的。论者认为,陈蕃方正有余,而计谋不足,以至功败垂成。宋末徐钧有诗云:"身居一室尚凝尘,天下如何扫得清?须信修齐可平治,绝怜志大竟无成。"与诚斋诗所阐释的理蕴是相同的。

醉中忘却来时路

道旁小憩观物化

杨万里

蝴蝶新生未解飞,须拳粉湿睡花枝。
后来借得风光力,不记如痴似醉时。

这是一首以蝴蝶为感知对象的咏物诗,语含讥讽,寄怀深远。

诗人的观察非常细致,而且描摹得十分形象、生动:一只蝴蝶刚刚从蛹中破壳钻出,翅膀还没有干燥变硬,因而也还不解飞翔;但见它触须拳曲、翻卷着,蝶粉阴湿着,小小躯体醉卧酣眠在花枝之上,显现出一副可爱的娇憨稚嫩形态。这里需要注意的是,此时的小蝴蝶看似静止酣眠,实际上却是在渐渐地成长与蜕变着,亦即历经着一种物化的生命进程。

那么,诗人描写这些用意何在呢?状写小蝴蝶的发展变化,不过是作个铺垫,目的在于引出下文。后两句夹叙夹议,说它在物化过程中,借助空气吹拂、阳光煦照,才得以由小变大,由弱变强,由幼稚到成熟,由静止酣眠到鼓翅腾飞;可是,待它成熟之后,却把这个演进过程统统忘掉了,完全不记得当初的娇软无力、如醉如痴状态。

显然,诗人是话中有话,别有寄托。说是咏物,实则讥讽世人。

那些觉得自己仿佛一眨眼工夫,就成了顶天立地的盖世豪雄的狂徒,那些"醉中忘却来时路"、狂妄自大的无知者,那些背叛过去、过河拆桥、以怨报德的无良者,只要良知尚未尽泯,而且肯于反思,当会从中得到应有的警示,受到灵魂的拷问。

处变不惊

闷歌行(十二首选一)

杨万里

风力掀天浪打头,只须一笑不须愁。
近看两日远三日,气力穷时会自休。

诗人说,面对着掀天狂风和打头的恶浪,你无须忧愁,尽可一笑置之,静以待变。近着看两天,远着看也不过三天,保证平息下来,——风力刮乏之后,它会自动休止的。诗人的乐观、淡定,不是凭空"耍嘴皮子",而是建立在科学观察、把握自然规律之上。

老子《道德经》第二十三章中有"飘风不终朝,骤雨不终日"之语。意为暴风刮不完一个早晨就会停息,骤雨也下不了一整天,比喻其来势虽猛,但持续的时间不会长久。

小诗具有很强的哲理性。写的是如何看待大风阻舟,实际上,说的是带有普遍性的人生至理,体现出作者处身逆境,旷怀达观、遇变不惊、信心充沛的坚强性格与乐观精神。

诗人还有一首七律,同样是写遇风阻舟的:"动地颠风政(正)打头,吴江未到且维舟。五湖波起众山动,一片月明千里愁。且更放迟些子睡,看他盛怒几时休。阳侯(波涛之神。神话传说:古代阳陵国君溺死于水,遂为水神,能为大波)要与诗人敌,未必诗人输一筹。"面对狂风大作,暂时放迟睡眠,静观它何时息怒、怎样收场。最后荡开一笔,说:其实,你这个波神也没有什么了不起的,用不着那么施威肆虐,恣意横行。如果真的要与诗人为敌,那么,请便吧!未必诗人就会输给你呢!

为聚敛者画像

观蚁(二首选一)

杨万里

偶尔相逢细问途,不知何故数迁居?
微躯所馔能多少?一猎归来满后车。

题曰"观蚁",实是"问蚁";"细问途",意为细问于途。

诗人说,偶尔和蚂蚁在路途上相逢,看到它们一个个身后总是拖着很多东西,忍不住,我想细细地询问:你们一天到晚,为什么老是频繁地("数")搬家呢?现在弄清楚了,那并不是搬家,而是出猎归来。这样,我就更不明白了,因而再问:以蚂蚁的小小身躯,每天究竟能吃多少食物,有必要每次出外搜寻猎物,都要"后车"满载吗?古代王者出行时,后面总要跟随着大批车辆。这里借用它,状写蚂蚁获取猎物后在身后拖着走的状态,"后车"为形象说法。

本诗是诗人在对世情进行冷静观察、深入探索的基础上,采用借物抒怀的形式和寓庄于谐、旁敲侧击的手法,表达其独特的艺术感受和警策而深刻的见解。其突出特点,一是观察细致,小中见大,从细微处开掘深刻的内容,在人们不太注意的题材中发现新意,深化主题;二是寓理于事,景中见理,所谓意在言外,别有寄托;三是构思巧妙,平中见奇,以人状物,明喻与暗喻相结合。通篇运用拟人化手法,诸如"细问""迁居""猎归""后车"等,都是以人状物,这是明写;反过来,再以物喻人——说的是蚂蚁,而笔锋所向,却是那类不知止足、贪得无厌、疯狂聚敛的人们,这是暗写。

同样是写虫类,同样是以悲悯的情怀、讽刺的态度和比喻的手法,还有柳宗元的寓言体散文《蝜蝂传》:蝜蝂是一种善于背负东西的小虫子,爬行时一遇到东西就攫取过来,抬起头把东西背上去。背上东西越来越重,虽然弄得非常疲劳,还是不肯罢休。它的背很粗涩,因此,积聚的东西不易散落。这样背下去,终于跌倒地上无法起来。人们可怜它,替它拿掉背负的东西;但它只要能爬行了,又依然攫取如故。它还喜欢爬高,哪怕用尽了力气也不肯停下,一直到摔在地上跌死为止。一诗一文,异曲同工,可以参看。

"大意失荆州"

下横山滩头望金华山

杨万里

篙师只管信船流,不作前滩水石谋。
却被惊湍旋三转,倒将船尾作船头。

如同诗题所提示的,此刻,诗人正在船上从浙江兰溪县西的横山滩头眺望着金华的北山。

当是由于江流平缓,又顺风顺水,手持竹竿撑船的师傅,也就漫不经心地操作着,一味粗心大意,盲目乐观,听任江船随意地荡荡悠悠。"不作前滩水石谋",是写篙师事先既不做调查摸底,做到心中有数,更没有切实谋划应付急流险滩的对策。结果,险情发生了,前面突然碰上复杂的江段,激流奔涌,旋涡翻卷,导致船在惊涛急湍中一连打了三个转儿,本来冲后的船尾,倒转过来变作了船头。真是吓煞人也!俗话说:"大意失荆州",正以此也。

诗人通过描述日常生活,眼中所见,揭示有备无患、居安思危,"凡事预则立,不预则废"的深刻哲理,而章句之间,却丝毫不见有什么评判、议论。像他自己所说的:"句中无其词而句外有其意","诗已尽而味方永"。

看得出来,诚斋先生的主要兴趣,真正沁入诗心的,乃是天然景物、自然风色。大自然中的万般风物,游蜂戏蝶也好,碧水青山也好,他都有办法拾掇起来,收入诗囊,并予以镂心刻骨、尽态极妍的艺术展现。为此,与他同时而略晚的诗人姜夔,有"处处山川怕见君"的赞语。

杨诗有个突出特色,就是善于直接从自然景物中撷取题材,而不是掉书袋,搬古典,在书本文字上大做文章。用他自己的话说,是"不听陈言只听天","只是征行自有诗"。他的这首七绝,堪称此说的注脚,也可看作是典型示范。

与杨万里同时期的陆游,对他这一点颇为欣赏,曾在信中说:"大抵此业(指写诗)在道途则愈工","愿舟楫鞍马间加意勿辍,他日绝尘迈往之作,必得之此时为多"。为了解悟这一艺术主张的真谛,我们还可以参看陆游的一首七绝:"法不孤生自古同,痴人乃欲镂虚空。君诗妙处吾能识,正在山程水驿中。"

好诗不过近人情

分宜逆旅逢同郡客子

杨万里

在家儿女亦心轻,行路逢人总弟兄。
未问后来相忆否,其如临别不胜情!

清代诗人张船山有句云:"天籁自鸣天趣足,好诗不过近人情。"杨万里的诗就有这个特点。这类诗全都来源于实际而深刻的生命体验与心灵感悟。他长年奔走道途,行旅在外,这天,在江西分宜县的旅店,遇到了同郡的客子,本不相识,却也倍感亲热。由此,产生了一些联想、体验。

诗中说,在家的时候,即使是对待亲生儿女,也往往意淡心轻,并不怎么在乎。可是,待到他乡行役、出了远门以后,遇到一般的同路人,便觉得亲近无比,宛如弟兄一般。如同《楞严经》中所讲的:"譬如行客,投寄旅亭,或宿或食,宿食事毕,俶装前途(整理行装上路)"。心里明明知道,"此地一为别,孤篷万里程",他日未必能够记起这段偶然相逢的情事,不知以后能否相互忆念;无奈,远道相逢,总觉得是一种缘分,临别时终竟承受不住这种浓重的离情。

这里有两个因素:一是,人与人之间,亲情之外,友情是最为看重的,因而都予以珍视,日后也会忆念相处的时刻。二是,所处环境、地点,往往影响着人们的情感、心性。同长期居家有异,人当出行在外,往往有孤独之感,偶然遇到一个伙伴,即便是素昧平生,也会产生一种相互依恋的情感。如同宋代诗人胡少汲《与刘邦直诗》中所云:"梦魂南北昧平生,邂逅相逢意已倾。……同是行人更分首,不堪风树作离声。"

织妇之苦

促织

杨万里

一声能遣一人愁,终夕声声晓未休。
不解缲丝替人织,强来出口促衣裘。

"促织"是蟋蟀的别名。一说,因鸣声而得名。晋·崔豹《古今注》:"谓其声如急织也",形容蟋蟀的吟鸣有如织布机的声音,时高时低,十分急促;现在北方话称蟋蟀为"蛐蛐儿",也是因鸣声而命名的。还有一说,因会意而得名。古谚有"蟋蟀鸣,懒妇惊",古时妇女一听到蟋蟀的叫声,意识到秋天已至,离冬天不远了,该抓紧时间纺织,赶制冬衣。

蟋蟀畏寒趋暖,一当秋风乍起,它们就会在阶前砌下,长鸣不止。这也就意味着秋凉已至,因而许多贫民由于衣裘未备,听到蟋蟀鸣声,难免心里犯愁。诗人说,蟋蟀叫唤一声就能牵动一个人的愁肠,那么,试算一下,它们整夜不停地叫唤,那又该使令多少人忧愁呢!

诗句接下来,由叙述转为议论:这些扰人的蟋蟀,一点也不替啼饥号寒的劳苦农民着想,它们既不能做茧抽丝,更不会替人们织布,却在那里一个劲地空喊,催促着缝制衣裳、缝制衣裳。"促织鸣,懒妇惊"的古谚,原意有积极作用;在这里,诗人则是做反面文章。晚唐诗人张乔,亦有《促织》七绝:"念尔无机自有情,迎寒辛苦弄梭声。椒房金屋(富贵人家)何曾识,偏向贫家壁下鸣。"同样是借题发挥,以虫喻人。比较起来,杨诗锋芒所指,似更加明确一些,是对那些不事生产劳动而只顾发号施令、逼迫人民劳作的"治人者",予以抨击、讽刺。

  本诗的艺术表现手法,也颇具特点。当代学者张瑞君指出,杨万里走的是以物见理、以物觅趣的路子。读者可以想象,一位辛勤劳作的织妇,为了生存不得不夜以继日地纺纱织布,即使如此,仍然饥寒交迫,心力交瘁,悲痛难忍,而促织一声接一声的鸣叫,更加深了她的烦恼,增添了她的愁绪。于是,她发出了愤慨的埋怨:不能够替人纺纱织布,却只顾开口催促人织衣制裳。生活之无理,恰是艺术之妙理,反映出生活的苦难在织妇精神上的压力。揭露织妇的苦难,在古代诗歌中为数不少,但大多数是从自身穿衣着笔。杨万里却"背面敷粉",咏物及人,写出织妇内心的悲苦和精神的压抑。表面上看,句句写蟋蟀,实际句句写"促"与"织";无一言道及织妇之苦,但其意象鲜明,宛然可见,耐人寻味。

这里就是罗陀斯

宿灵鹫禅寺

杨万里

初疑夜雨忽朝晴,乃是山泉终夜鸣。
流到前溪无一语,在山做得许多声。

诗人说,夜宿江西广丰县灵鹫山下的禅寺,被潺潺的水声搅扰得彻夜难眠。当时,还误以为是夜间下雨了,可是,待到第二天早晨起来一看,发现天空晴朗,这才悟出终夜不息的水声,原来是山泉奔注、流淌所致。说到这里,诗人的谈锋陡然一转:那么,你就一路轰鸣下去也还罢了,谁知流到开阔的前溪,却又寂然无声,不像在山里那样响声一片,喧闹不停。

从字面上看,本诗描写的对象是山泉;其实,此间弦外有音,别具深意,诗人着眼于讥讽某些入仕从政的官员。

读者很容易从山泉"在山"时的喧嚣作声和汇入"前溪"后的寂然无语,联想到社会上一种常见的现象——某些为官者,在他们还没有入仕,或当政坛失意之时,踌躇满志,雄论滔滔,满是一副生不逢时、怀才不遇的牢骚,或者侈谈一些治国理政、致君泽民的宏伟抱负;可是,一当入朝执政,权柄在手,便全然忘却当初的承诺,或者尸位素餐,毫无建树;或者学乖弄巧,缄口不言,唯恐触犯时忌,心安理得地做起太平官来。看得出来,当初在野时的清谈,不过是唱唱高调,做做样子。

如果公元前的奴隶作品《伊索寓言》,通过宗教经典途径,那时已经传译到中国,博览群书的诗人,也许会联系到寓言中那个惯说大话的运动员——极力吹嘘在罗陀斯岛上跳得很远很远,说凡是在场的人都能为他做证。于是,有人说了:"用不着找什么证人,这里就是罗陀斯,你就在这里跳吧!"是呀,罗陀斯随处都在,"是骡子是马,当场遛起来看"。同样,那些待位大员,也不必徒逞雄辩,夸夸其谈,有本事亮出来好了,用不着"在山做得许多声"!

全诗采用象征、隐喻的手法,形象鲜明,下笔如刀,把那些说空话、唱高调者的华丽外衣剥得精光,使其本相毕露,难以遁形。

迁怒秋雨

秋雨叹十解(之十)

杨万里

不是檐声不放眠,只将愁思压衰年。
道他滴沥浑无赖,不到侯门舞袖边。

  诗人穷困在家,清夜无眠,听得秋雨淅沥,声声不断地敲打着房檐,心头感到莫名的烦闷。凭着直接的感觉,首先自然是归咎于不让人安稳入睡的檐头滴雨之声;过了一阵,进一步悟解到,其实,檐声也好,秋雨也好,它们本身原是了无知觉的,只不过是和我的满怀愁绪结合在一起,欺压我这个衰弱的老头子罢了。诗人在另一首七绝中也曾吟咏:"霖霖滴滴未休休,不解教侬不白头。却把穷愁比秋雨,犹应秋雨少于愁。"分明是穷愁作对,它的烦人,比起这秋雨不知要胜过多少倍呢!
  后两句又作一转,即便祸根子是穷愁,是愁思怨绪,那它也是凭借这雨声滴沥传给我的。说来,这淅淅沥沥的秋雨也真是够无赖的,你们怎么专门同穷寒的士子捣乱,却不到搜刮民膏民脂、挥霍无度、日夜寻欢作乐的豪门贵族家里去呢!
  解读诚斋先生此诗,可以参看同时代的诗人范成大的《雪中苦寒》七绝:"茸毡帐下玉杯宽,香里吹竹醉里看,风雪过门无人处,却投穷巷觅袁安!"说的是,烈雪寒冬之际,豪门富室,推杯换盏,笙歌彻夜,由于毡帐重重,寒风暴雪想要吹进去也找不到缝隙;最后,在穷街陋巷中寻觅到了贫士袁安。这里有个典故:东汉高士袁安困居洛阳,这年冬天,洛阳令冒雪去访他。他院子里的雪很深,洛阳令叫随从扫出一条路才进到袁安屋里。袁安正冻得蜷缩在床上发抖。洛阳令问:"你为什么不求亲戚帮助一下?"袁安说:"大家都没好日子过,大雪天我怎么好去打扰人家?"

江湖味　故乡情

湖上寓居杂咏（十四首之一）

姜夔①

荷叶披披一浦凉，青芦奕奕夜吟商。
平生最识江湖味，听得秋声忆故乡。

诗人寓居杭州西湖，落魄失意，生活困顿，心中充满凄苦、悲凉的意绪。当时写了一组七绝，此为第一首。

诗人首先以比兴手法，即景写情，说：时当秋日，眼中所见的是西湖里的残荷，只剩下一柄柄稀疏的败叶，在秋风中纷披、散乱地飘动；而耳边所闻的则是岸畔的青芦临风摇荡时发出的萧飒、凄凉的声响——这分明是带有凄厉、肃杀之气的商音啊！"奕奕"，形容忧愁的样子。"商"，古代五音宫商角徵羽之一。《礼记·月令》："孟秋之月，其音商。"商音凄厉肃杀。

接下来，诗人用赋体直抒胸臆，说：我这辈子，一直漂泊天涯，是最清楚江湖沦落的辛酸况味了，所以，每当听到萧瑟的秋声，就会不由得想起遥远的故乡。诗中意境深远，情思摇曳，句句感伤，语语含

---

① 姜夔（约1155—约1221），号白石道人。一生不仕，往来大江南北，过着清客生活，晚年旅食浙东、嘉兴、金陵间。擅长诗词，尤工七绝，能自度曲。

情,后世一些怀才不遇、浪迹天涯的人读来,当会情不自禁地怆然泣下。

这种情怀与笔墨,固然由其境遇偃蹇,所如不偶,终身沦落使然;同时也和他的性格、品性有直接关系。范成大谓其"翰墨人品皆似晋宋之雅士"。明人张羽《白石道人传》曰:"(姜夔)性孤僻,尝遇溪山清绝处,纵情深谐,人莫知其所入;或夜深星月满垂,朗吟独步,每寒涛朔吹,凛凛迫人,夷犹(从容不迫)自若也。"

本诗意蕴,可以"江湖味、故乡情"六字概之。正由于它所书写的,不是事乃是心,不是景乃是情,不是遇乃是境,因而应从荷叶、青芦等兴象中,体察诗人栖隐江湖的凄清情境,咀嚼远离家乡、辛酸寂寞的清苦况味,如此,则庶可把握诗中真髓。

青山依旧在

水口行舟

朱熹①

昨夜扁舟雨一蓑,满江风浪夜如何?
今朝试卷孤篷看,依旧青山绿树多。

诗人逼真地书写了舟行江上的一段见闻感受与情绪变化。

诗中说,昨天夜里,漆黑的江面上,突然间落下了一场大雨,扁舟一叶剧烈地飘摇着;当时不免有些担心:这满江的风吹浪吼,波涛滚滚,到处危机四伏,前路会不会遭遇什么不测的风险呢?待到雨止风停,天光大亮,卷起船上的帆篷一看,结果欣喜地发现,两岸青山绿树依旧,风光秀美如常。一种化险为夷的欣慰之情,跃然纸上。

读到这里,有似曾相识之感。想了想,原来,早些时候,女词人李清照的《如梦令》有过类似的描画:"昨夜雨疏风骤,浓睡不消残酒。试问卷帘人,却道'海棠依旧'。'知否?知否?应是绿肥红瘦!'"与女诗人所表达的惜花心绪不同,朱夫子诗中乃是透过雨夜行舟的一番经历,揭示出人生境遇的一种体悟,寓有浓厚的理趣。

---

① 朱熹(1130—1200),宋高宗绍兴年间进士,著名理学家。学问深邃,富于文学修养,对诗文有独到见解;诗清新活泼,颇具特色。

这是诗人舟行生活中的亲身经历,却又是一番感时寓意之作。史载,南宋"庆元党禁"中,理学家朱熹等五十九人被列入"伪学党",通缉在案。在政局动荡、学禁最严峻的庆元三年初,朱熹和他的学生黄干等,从闽北乘船南下古田,抵达邵武县东南的水口。此诗就是那个时候写成的。

诗中蕴含着丰富的哲思理蕴:人生道路不会总是一帆风顺,当身处困境的时候,应该勇于应对,搏击风雨,这样就可以饱享胜利的乐趣。其实,生活中的风雨也好,政治上的磨折也好,看起来其势汹汹,势不可挡,但是,只要能够坦然面对,坚守正义,充满信心,就一定会迎来雨过天晴,生命也定会焕发出绚丽的光彩。

诗人运用即景抒情、托物言志的写作手法,寄寓人生哲理、生命感悟,既形象生动,又富有感染力。

补益新知

观书有感二首（其一）

朱熹

半亩方塘一鉴开，天光云影共徘徊。
问渠那得清如许？为有源头活水来。

　　这是一首即兴喻理、借景抒怀的典型哲理诗。诗人借助云影天光、源头活水，形象地抒写自己研读书卷的心得体会，阐明观书以至阅世的道理。看了令人心胸开阔，情怀澄净，充满快感。
　　诗中说，这个方方的池塘并不算大，不过半亩左右，可是，却清澈见底，净洁无比，像一面镜子那样敞开，天光云影一齐映在里面徘徊荡漾。若问它（"渠"）怎么会这样清澈、澄明？缘由说来也很简单，就是从源头那里持续不断地有活水流来。
　　所谓"观书有感"，正是把此情此景同读书治学欣然有得、深获教益的情形联系起来。就是说，读书治学，应该以博览之功，收会通之效，防止固蔽壅塞、思想僵化；只有持续不断地汲取新知，输送营养，充实头脑，就像源头活水源源不竭地注入方塘之中，才能豁然开朗，融会贯通，才能不断取得日新月异的进步。
　　当代著名学者霍松林指出，诗的后两句，当然是讲道理，发议论，但这和理学家的"语录讲义"很不相同：第一，这是对前两句所描绘的感性形象的理性认识；第二，"清如许"和"源头活水来"，又补充了前面所描绘的感性形象。因此，这是从客观世界提炼出来的富有哲理意味的诗，而不是"哲学讲义"。用古代诗论家的话说，它很有"理趣"，而无"理障"。

关于诗中的"半亩方塘"，学界有两种说法：一说泛指；一说即福建尤溪城南郑义馆舍（后为南溪书院）之半亩塘。北宋宣和五年，朱熹之父朱松任尤溪县尉，去官后寓居于邑人郑义馆舍，七年后朱熹在此诞生。

从容妙悟

观书有感二首(其二)

朱熹

昨夜江边春水生,艨艟巨舰一毛轻。
向来枉费推移力,此日中流自在行。

上游昨夜降下一场大雨,使得江中春水猛涨,一向平静无波的水面,立刻滔滔滚滚,浊浪翻腾,结果,那只搁浅已经多日的艨艟巨舰,竟然变得像翎毛一样,轻快地浮动起来。回想起在那春水未至、江淤水浅之时,人们不知耗费了多少气力去推移,它却纹丝不动;现在好了,春波浩荡,稳泛中流,巨舰得以逍遥如意地自在航行。

这堪称是一幅生意盎然的《春江稳泛图》。但作者的着眼点,却不是单纯写景,而是因"观书有感",联系到眼前这番景象,想要从中揭示一些带有规律性的认识,或曰哲理。明末学者王相指出:"文公(朱熹)以泛舟喻学","以比人见道不明,千思万索,及至悟来,不思不勉,自然而然,从容中道也"。(《千家诗》注)

从治学、参悟来说,面壁苦思也好,"蝇穿故纸"也好,真是充满了焦思苦虑、困惑烦恼,而一朝悟解,豁然贯通,宛如顺水行舟,中流稳泛,轻松自如,全不费力。钱锺书先生在《谈艺录·妙悟与参禅》

一节中说："夫悟而曰妙,未必一蹴即至也;乃博采而有所通,力索而有所入也。学道学诗,非悟不进。"

从处置实际事务、解决矛盾问题来说,主观能动性无疑是非常重要的,但主观能动性的发挥,受客观因素的制约,需要按客观规律办事,借助一定的条件,不能只凭一己的良好愿望,无视客观规律,盲目行事,那样必然是劳而无功的。

从钻研问题、究索事理来说,同样有个循序渐进,在渐进中穷理尽性的过程。初学之时,往往是费尽推移之力也难以奏效,待到后来,读书渐悟,探得规律,就能应用自如了。郑板桥有言:"读书以过目成诵为能,最是不济事。眼中了了,心下匆匆,方寸无多,往来应接不暇,如看场中美色,一眼即过,与我何与也?千古过目成诵,孰有如孔子者乎?读《易》至韦编三绝,不知翻阅过几千百遍来,微言精义,愈探愈出,愈研愈入,愈往而不知其所穷。虽生知、安行之圣,不废困勉下学之功也。"

从诗文创作来说,基本功夫到家,才能因熟生巧,驾驭自如。吴可诗云:"学诗浑似学参禅,竹榻蒲团不计年。直待自家都了得,等闲拈出便超然。"

一首小诗,竟然给后人留下林林总总的启悟,朱子当日题写时,何尝会想到这么许多;但是,诗的意境、意象具有开放性,解读的结果,实际上已经大大超越了作者的主观思想。这正是古人所说的:"作者之用心未必然,而读者之用心何必不然。"

寸阴是竞

偶成

朱熹

少年易老学难成,一寸光阴不可轻。
未觉池塘春草梦,阶前梧叶已秋声。

"尺璧非宝,寸阴是竞。"这首劝学诗,是对《千字文》中这句格言的诗性诠释。

首句说,年华易老而学问难成。这也就是庄子所说的"吾生也有涯,而知也无涯"。次句紧承上句说,因此,一寸光阴也不能轻易地放过。三、四两句,由议论转为形象描写:韶光过得飞快,转瞬春去秋来——还未等到枕上的池塘春草的清梦醒转过来,阶前飒然飘逝的梧桐落叶已经送来了秋声。

在写作手法上,本诗有四个突出特点:

一是,告诫年轻人要珍惜韶光,努力向学,不要年华虚掷,以至老大无成,不是空泛地说教,而是讲他自身的深切体悟。有学者考证,本诗是朱熹三十二岁那年写就的。他堪称是一位博古通今的大学问家,但是,却毫不满足,总觉得许多方面力有未逮,这从《朱子语类》一书中可以见到。本诗就是劝诫他人,兼以自勉。

二是，这种劝诫，既然是以诗的形式，就充分体现文学的特点，采用形象描写手法，但又不是为了形象而写形象，形象里融入作者的思想感情，所谓"体物写志"。

三是，把情与景有机地结合在一起，达到情景交融。像清代学者王夫之所言："情景名为二，而实不可离。神于诗者，妙合无垠。巧者则有情中景、景中情。"

四是，诗人善于借用前人诗句中的优美形象，结合自己的深切感受来即景抒怀。诗中"未觉池塘春草梦"，即用谢灵运"池塘生春草"为梦中所得的典故，既准确贴切，又意蕴深邃。钟嵘《诗品》中引《谢氏家录》：南朝·宋著名诗人谢灵运在永嘉西堂，思诗竟日不就。寤寐间，忽见其从弟惠连，即成"池塘生春草"之名句。这里借喻春时，与下句的"梧叶秋声"相对。

寻源之悟

偶题三首(之三)

朱熹

步随流水觅真源,行到源头却惘然。
始信真源行不到,倚筇随处弄潺湲。

在一般人看来,只要肯于花费时间、气力,溯流而上,寻觅溪源,这是不会有任何问题的。可是,朱老夫子却以其切身体验告诉我们,事情并非想象的那样简单。当你"步随流水觅真源"时,走啊,走啊,总算走到了溪流的尽头,却发现那儿其实并非溪水真源的所在;至于真正发源地究竟在哪里,谁也说不清楚,更寻找不到,于是,便有些惘然若失。这个时候,才悟解真正的溪水源头是行走不到的,也就是说,它是千流万派、无数泉源汇聚而成的,根本不可能一寻便得,一蹴而就。经过这么一番憬然开悟,达到别有会心,诗人便扶着竹杖,随处赏玩着潺潺流水而自得其乐了。

追踪真相,穷原竟委,人类的这种"寻源"本性,作为一种心理追求和心理满足,无疑是理论研究、科学发展的动力之源。黑格尔老人说,矛盾引导前进。人们就像追寻溪流的源头那样,时时刻刻,都鼓动着追求真理的欲望。应该说,真理有如溪流的源头,是实际存在着的;但是,要想觅得真源,又着实不易,起码应该做到两条:一是,从"万派归宗"角度看,需要总体把握,"以圆览之功,收会通之效",切忌执其一端,管中窥豹,以偏概全。二是,锲而不舍,不懈追求,铢积寸累,聚少成多,积之日久,自悟真源。诗人自己就曾有过这样的体验:穷理当"零零碎碎凑合将来,不知不觉,自然醒悟"。(《朱子语类》)

对于这首诗,有的学者作出新解:说是作者随着流水寻找溪水源头,可是走到源头却又感到惘然,因为找不到源头之水究是从何而来。由此而引出第三句的感触:世界万物之源是很难找到的。这里的万物之源,是指程朱理学的宇宙观。他们认为,世界万物由太极而生,所谓"太极生二仪,二仪生四象,四象生万物";那么,太极又是什么生的呢?是无极。无极又怎么来的呢?这就陷入了不可知论。恰如西方哲学家对人类的起源找不到答案时,便用"上帝创造了人类"来解释一样。正因为作者认为真正源头是找不到的,所以只能以"倚筇随处弄潺湲"作自我安慰来结束了。从程朱理学源头立论,言之亦自成理。

当代学者王先霈指出,诗的高境界、文学艺术的高境界和哲学的高境界是彼此重叠、彼此融合的,人生的高境界是诗与哲学的结合。朱熹的这首《偶题》,就是把哲学的诗意和文学的诗意融合在一起,人生的奥义在于某种终极性的追求,在于这种追求的过程性,把眼前一切活动与终极目标链接,倚着手杖,面对无尽地流淌的溪水沉思,面对不断变幻的世相沉思,这正是"此在"的诗意。

朱熹的哲理诗,十分耐读,手法精妙,艺术水准很高。它的妙处就在于寓理趣于形象之中。如同《国朝诗别裁·凡例》中所说的:"诗不能离理,然贵有理趣,不贵下理语。""理趣"与"理语"不同。"理语"是在诗中说理,是抽象的、议论式的;而"理趣"是运用形象来表达含蓄的道理,是趣味的,是诗性的,如盐溶于水,可以品味,却不见形迹。

恨无知音赏

壁间古画精绝未闻有赏音者

朱熹

老木樛枝入太阴,苍崖寒水断追寻。
千年粉壁尘埃底,谁识良工独苦心!

诗的前三句,是叙述与描写。作者说他发现一幅妙艺精绝的古画,画面上的图像,是青苍的断崖上挺立着一株高大的老树,枝条弯曲地下垂着("老木樛枝"),令人想起《诗经》中"南有樛木"之句。树的上方是一轮银盘般的明月("太阴"),映衬着萧疏的树影;下面则是一泓寒水,闪现出冰冷的幽光,益发显得凄神寒骨。古画悬挂在千年的粉壁上,上面满是尘灰,可知从它问世以来,就未曾得到知音的赏鉴。关键在最后一句的议论:"谁识良工独苦心!"作者深情无限地下一断语:良工绝艺,超迈千古,寄慨遥深,可惜没有人赏识他的这片苦心。

南宋诗人林用中曾步此诗原韵奉和:"老树参横傍古阴,浓烟淡月试追寻。自来无会丹青意,可惜良工苦片心。"二诗意蕴基本相同,而"自来无会丹青意",更是把问题鲜明地提升到社会的层面上,有助于加深对朱诗的理解。

诗中满含着一种浓烈的独赏心理与悲剧意识。联系到作者一生劳神苦心,勤奋治学,艰苦备尝,却一直饱受讥评,毁誉交织,知音稀少,可知此诗带有"夫子自道"性质。相信他对于唐人的名句:"欲取鸣琴弹,恨无知音赏"(孟浩然)、"古调虽自爱,今人多不弹"(刘长卿),必有千秋怅望,异代同怀之感。这样,不妨设想,他在慨叹赏画无人的同时,肯定也会自伤一己之凄苦人生哩!

涵泳工夫

读书

陆九渊①

读书切戒在慌忙,涵泳工夫兴味长。
未晓不妨权放过,切身须要急思量。

　　诗人说,读书时最戒忌的是贪多求快,匆匆忙忙,一瞥而过;应该细细品味,慢慢消化,反复揣摩、研索,鉴赏、比较,这样才能真正理解书中奥义,同时也能培养起审美的兴味与情趣,体会出文字中更多的妙处。对于不懂的地方,不妨暂时放过,不必死死抠住不放,随着读书渐多,理解能力增强,难解之处自会逐渐理解。"切身"一句,学界有多种不同的解法:一是,读书固然不必求急,但是,如果是关乎切身的事,那就需要尽快地思考了;二是,为了形成自己的思想,这就需要抓紧进行深入的思考了;三是,对于切合自己实际,和自己的观点"碰撞"出火花的,必须"急思量","兔起鹘落",迅速鉴别、吸纳,从而丰富自己的思维成果。

　　《孟子·离娄篇》有言:"君子深造之以道,欲其自得之也。自得

---

① 陆九渊(1139—1193),号象山。南宋乾道年间进士。著名理学家、思想家和教育家,宋明两代"心学"开山之祖。

之则居之安,居之安则资之深,资之深则取之左右逢其原(源),故君子欲其自得之也。"大意是:君子依循正确的方法来加深造诣,就是要求他自觉地有所得。自觉地有所得,就能够掌握牢固;掌握得牢固,就能够积蓄深厚;积蓄得深厚,用起来就能够左右逢源,所以君子总是要自觉地有所得。之所以"戒慌忙""要涵泳""急思量",根本目的就是"欲其自得之也"。

题曰"读书",意在讲授个人"欲其自得"的切身体会,其中最关键的是"涵泳工夫",意为沉浸书中,涵咀义蕴,细细品味,慢慢消化。古人对此极端重视,论述颇多。朱熹认为:"涵泳玩索,久之当自有见";"学者读书,须要致身正坐,缓视微吟,虚心涵泳,切己省察"。又说:"大抵读书,先须熟读,使其言皆若出之于吾之口;继之精思,使其意皆若出之于吾之心。然后,可以有得耳。"清代学者王夫之的经验是:"熟绎上下文,涵泳以求其立言之指(旨),则差别毕见矣。"而曾国藩则讲得更为形象、生动:"涵泳者,如春雨之润花,如清渠之溉稻","如鱼之游水,如人之濯足";"善读书者,须视书如水,而视此心如花、如稻、如鱼、如濯足,则涵泳二字庶可得之于意之表也"。

后来更把涵泳工夫,广泛地运用于诗文评论和鉴赏中。鉴于艺术作品言理叙事,常常并非质直言之,而是采用比兴手法,隐喻、暗指,所谓"兴发于此而义归于彼",仅仅依靠理性判断有时难以奏效,因而需要沉潜其中,反复玩索、体味,以求获得个中三昧。

甘瓜苦蒂　物无全美

寄兴

戴复古[①]

黄金无足色,白璧有微瑕。
求人不求备,妾愿老君家。

诗中以一位女子的口气,讲述一番深刻而又实际的处世量人道理。首先从黄金不会成色十足,白璧难免有小的斑点领起,引出对人也不应求全责备的结论,所谓"金无足赤,人无完人"。正是由于这位女子能够站在这样的高度来认识问题,所以,对丈夫的不足能够给予谅解,并且表示愿意与他白头偕老。

这是一首寄怀深远的寓意诗。诗人托意寄兴,实际是借题发挥,阐释识才、用才之道,对象是执掌铨衡的人。这里的"君家"乃一语双关,表面上是指夫家,实际上讲的是君王之家。旧时的士子都是"学成文武艺,售与帝王家"。大前提是需要取得君王的信任。

古代的哲人墨子有一句名言:"甘瓜苦蒂,天下物无全美。"人才也不例外。世上本无完人,因此,应该善用人之所长,而勿苛责其短。

[①] 戴复古(1167—?),一生不仕,曾向陆游学诗,语言通俗自然,是"江湖派"诗人中比较突出的一位。

果能如此,则大批人才就会为知己者竭诚效力。

辩证法告诉我们,一切事物都在发展的过程中,从这个意义上说,都具有不完美性。我们可以也应该尽量追求完美,并逐步向完美的方向发展,但要一蹴而就,实现绝对完美无缺的境界,却无论如何也办不到。硬要苛求,势必演化成闹剧,以至惨剧、悲剧。

美国著名作家霍桑的短篇小说《胎记》,写一位有高超幻想力的科学家爱尔默,娶了个美貌如花的妻子乔治娜,灯前对坐,"娇花"悦眼,自是欢愉不尽,但他却总觉得有一桩心事耿耿不能去怀。原来,乔治娜左颊上长了一个特殊的嫣红斑痕——胎记,尽管很小,但在这位惯于追求完美境界的科学家看来,总是破坏了美的魅力。他煞费苦心,想把妻子的可爱面颊改善得十全十美,毫无瑕疵。他曾研究出一种除斑的外用药剂,涂在妻子脸部的胎记上,但未能奏效;于是,又使用一种内服的强效药液,帮助妻子除治小小的斑痕。这种药的效果果然显著,胎记正逐渐变淡、褪色。可是,随着胎记的最后一丝红晕从面颊上消失,那个堪称"十全十美"的绝代佳人的最后一口气,也散入青冥,化为乌有了。

即便没有酿成人间惨剧,求全责备的后果也往往不妙。道理在于完美无缺的境界,好似一个封闭的系统,即使真的实现了所谓"止于至善"的完美无缺,那也只是表明,事物再也不能向前发展了,新陈代谢的功能失去了,生机活力也就到此终结了。

诗文最忌随人后

论诗十绝(选一)

戴复古

意匠如神变化生,笔端有力任纵横。
须教自我胸中出,切忌随人脚后行。

题目称为"论诗",自然是就诗歌的创作规律、艺术技巧进行论证,发表见解,提出要求。

作者指出,诗歌的艺术构思过程是神奇超妙,变化多端的。当其时也,诗人展开浩瀚的文思,发挥超妙的想象力,意象新奇,出神入化,下笔遒劲,纵横如意。作者在这里突出强调,写诗必须提倡独创性,要炉锤在我,独具匠心。"意匠如神"也好,"笔端有力"也好,一切都须出自自我胸中;而且,诗文最忌随人后,蹈袭固有的窠臼,跟在别人后面爬行,是平庸无能的表现。

立论的核心所在,是写诗必须有真情实感,必须表现创作个性。自古以来,我国的诗论就主张,诗言志,诗缘情,情动于中而形于言。以此为圭臬,后代诗人反复强调:"自把新诗写性情","提笔先须问性情","天性多情句自工"。诗人内心有了真情实感,才有创作构思的依凭,才能具备"源头活水"。而性情是与个性紧相联结的。"心灵人所自有而不相贷"(王夫之语)。所以,每个诗人都须强调"著我"。清人张船山说:"诗中无我不如删"。袁枚说:"作诗,不可以无我","有人无我,是傀儡也"。如果不是"自我胸中出",又何来个性,何谈有我?

知　机

黄雀

戴复古

披绵争啄晚禾秋,群起森然网自投。
一饱等闲输性命,知机万不及沙鸥!

诗人把黄鸟与沙鸥作为两种不同的意象,拿来对比说事,取譬巧妙,命意警辟,小中见大,发人深省。

诗中说,一群毛似披锦、肉肥脂厚的黄雀,在禾谷丰收的晚秋,争着啄食谷物,常常成群结伙地齐刷刷地落下,结果全都自投了罗网。为了一次饱腹,轻易地便输掉宝贵的生命,看来,它们的预见水平、认识能力,真是照沙鸥差远了。"知机",同"知几",《周易》有"知几,其神乎"之说。几者,动之微。指人能预见事情萌发的初始迹象,觉察事物发展变化的细微征兆。

沙鸥常见于古典诗词中。由于它经常自由翱翔于水上,所以,往往被赋予一种特定的寓意,作为优游自得、意态逍遥、无拘无束的象征。而因为它喜欢个体生活,常常独自栖息在无人的沙洲上,所以,有时又代表着一种孤寂、漂泊且有些傲岸的形象。

古代典籍《列子》中记载,海上有一个喜欢沙鸥的人,每日跟着鸥鸟游来荡去,鸥鸟至者,常常多至百数。一次,这人按照他父亲的授意,捉了两只沙鸥拿回去赏玩,次日,再见到鸥鸟,却都飞舞空中,再也没有一个落下了。由此形成了一个"鸥鹭忘机"的成语。它所包含的意蕴是:当一个人忘记了属于利益计较的心机、欲望,自甘恬淡,与世无争,回复到质朴、单纯的状态,则与自然、万物合一,不分畛域;反之,"机心内萌,则鸥鸟不下"。(南朝·宋裴松之语)清代琴家王善的阐释就更明晰了:"人能忘机,鸟即不疑;人机一动,鸟即远离;形可欺,而神不可欺;我神微动,彼神即知,是以圣人与万物同尘,常无心以相随。"

上竿难

咏缘竿伎

曹豳①

又被锣声送上竿,者番难似旧时难。
劝君着脚须教稳,多少旁人冷眼看。

　　从字面上理解,这首诗是献给做杂技表演的爬竿艺人的。诗人关切地说,一阵急促的锣声,又把你送上了高竿,依我看,者(这)番攀高可比过去难上加难了。奉劝你千万要小心谨慎,每一脚都要放稳,须知,无数人正在下面冷眼旁观呢!

　　实际上,却是采用借喻手法,假托"咏缘竿伎"之名,以诗相赠一位出征的将领。史载,儒将赵葵早年随父抗金,多有建树。南宋理宗端平元年,朝廷议论收复三京(东京开封、西京洛阳、南京应天府),他便上疏请战,获得批准。在出征饯别会上,曹豳赋此诗为赠。

　　他深知此行所面对的敌人,是比金兵更加凶悍的蒙古骑兵,所以说"这番难似旧时难"。诗人本着强烈的爱国赤诚和深切关怀的情愫,忠告小他十六岁、雄心勃勃的赵葵,要他一定慎重对待,切莫麻痹

---

① 曹豳(1170—1249),南宋嘉泰年间进士。入仕四十余年,直言敢谏,廉正不阿,有"爱国诗人"之誉。

轻敌,同时还要防备那些投降派恶意陷害,伺机反扑。事态发展的结局,果然未出所料,其时正值酷热的雨季,汴河堤坝溃决,洪水泛滥成灾,军粮运送没有跟上,以致遭受重创,溃败而归。赵葵本人受到降职处分。

即便是不联系这段史实,单是就诗论诗,也可以从这充满哲思理蕴、富有警示作用、形象生动的词句中,获得深刻的教益。

好花看到半开时

再和熊主簿梅花十绝(选一)

刘克庄①

色深乍捣守宫红,片细俄随蛱蝶风。
到得离披无意绪,精神全在半开中。

《后村诗抄》中,此诗题下原有小注:"(熊主簿)诗至,梅花已过,因观海棠。"熊主簿,身世不详,从诗题中得知,曾作过梅花诗,刘克庄与之唱和。但因梅花已过,此诗便改吟海棠。

前两句,描写海棠初放时的深红花色,刻画海棠花渐渐展开的形貌。但并非一般的叙述,而是进行形象描绘,且是动态性的:深红的花冠血色朱殷,宛如守宫红一般。古人捕捉壁虎,饲以朱砂,捣烂作深红色,制造一种药物,名"守宫红"。这里用以形容海棠花色。诗人用字十分考究,海棠色深后面用了一个"乍"字,表明是初放。接下来说,细细的花瓣迎风颤动,像是很快就会随着蝴蝶飞开似的,蝴蝶前面又用了一个"俄"字,说的是变化俄顷。

---

① 刘克庄(1187—1269),号后村居士。宋淳祐六年,特赐同进士出身。不畏权贵,大胆直言,仕途上几经波折,先后被罢黜四次。诗受陆游、辛弃疾影响颇深,多感慨时世之作。

在着意铺陈、描写,蓄足了气势的基础上,三、四两句顺势转为议论,说半开的海棠精神俱足,最是招人喜爱,耐人寻味,含有余不尽之意;而一当它勃然盛开,花片便会离披而分散下垂,那就了无意绪了。"精神全在半开中",为全诗之主旨。

诗中通过形象刻画、艺术描写,意趣盎然地展现了一种深邃的哲学思想。中国古代哲人提倡"致中和",讲究适可而止,不为已甚,反对走极端;讲究有余不尽,留有余地,反对过满过溢。北宋理学家邵雍诗中,有"美酒饮教微醉后,好花看到半开时。这般意思难名状,只恐人间都未知"之句,寄怀深远。中外美学家也有"不到顶点"的说法,对此,德国文艺理论家莱辛作过充分而准确的阐释:"在一种激情的整个过程里,最不能显现它的好处的莫过于它的顶点。到了顶点就到了止境,眼睛就不能朝更远的地方去看,想象就被捆住了翅膀。"

挑得诗囊

乍归九首(选一)

刘克庄

官满无南物,飘然匹马还。
惟应诗卷里,偷画桂州山。

刘克庄活了八十多岁,前后"四立朝",但都为时短暂,大部分时间出守外郡,在广州、潮州、吉州、漳州、袁州等地任职。《乍归九首》中记叙了他任满回乡的情事与心理活动,包括母子欢聚、娇儿绕膝、旧书重读,以及当年手植的橘、梅状况,写得覃覃有味。而最有价值的还是这里抄录的第一首,无论是从意蕴还是就艺术表现手法看,都是难得的短小精悍的佳什。

诗的前两句说,任期已满,匹马北归,没有携带南方的任何财物。"飘然匹马"四字,写尽了一个清官清风两袖、孑然一身的潇洒形态。"匹马"是驮人的,不是运送珠宝的联翩结驷的车队;而"飘然"则是轻装简从,没有任何负担。这使人联想到他在《一剪梅》词中所记述的当日前往广州赴任时的场景:"束缊(捆绑乱麻以为火把)宵行十里强。挑得诗囊,抛得衣囊。天寒路滑马蹄僵。元是王郎(挚友王迈),来送刘郎。酒酣耳热说文章。惊倒邻墙,推倒胡床。旁观拍手笑疏狂。疏又何妨,狂又何妨!"那般萧索,那般简陋,只有两个疏狂嬉笑的文人,根本不见长官出行的浩大排场。

后两句写得尤有风趣。诗人就着"无南物"的话题又补了一句:不,不是一点"南物"没有——在诗卷里,我把桂林山水给偷偷地描绘下来了。陡然翻出新意,真是神来之笔,令人忍俊不禁。

清代诗人赵翼写过一首七绝:"粤峤滇云宦迹长,循声(为官有循良之声)处处有甘棠。只余一事输包老(清官包拯),归橐(包裹)还多砚一方。"与刘诗异曲同工,二者在构思、意蕴方面,颇多相似之处。

文章憎命达

再赠钱道人

刘克庄

拙貌惭君仔细看,镜中我自觉神寒。
直从杜甫编排起,几个吟人作大官。

钱道人,生平不详,当是作者朋友。据有的资料记载,他很精于相面。

这样,头两句就更容易理解了。作者说给道人:我这副骨相,劳您这么仔细察看,真是自惭形秽;其实,对着镜子自己端详,也是觉得神情萧索,自知不是公侯之相。后两句,带有自慰性质,说:当然,我也不必自惭形秽,咱们就从诗圣杜甫往下排吧,几百年来,诗人中根本就没有几个做大官的。

诗人的这番话,显然是借着道人为他相面,发泄一通牢骚;但是,同时也表述一种关于文人命运与诗文创作规律的认识。从司马迁以来,就有穷愁著书、发愤为文,"思垂空文以自见"的说法。到了韩愈那里,话说得就更明确了:"是故文章之作,恒发于羁旅草野;至若王公大人,气满意得,非性能而好之,则不暇以为。"欧阳修也说:"世谓诗人少达而多穷;盖非诗之能穷人,殆穷者而后工也。"

李商隐"古来才命两相妨"的名句,乃是对于历史上才大如海的杰出人才总是命途多舛的悲剧现象,作出了高度的概括。杜甫就曾悲吟过:"文章憎命达,魑魅喜人过","古来材大难为用","终日坎壈缠其身"。徐凝、王安石、苏轼也都曾用诗句阐明这一观点:"风清月冷水边宿,诗好官高有几人";"诗人况又多穷愁,李杜亦不为公侯";"秀语出寒饿,身穷诗乃亨"。

看得出来,不见"吟人作大官"这一现象的产生,既有诗文创作自身发展的因素,也存在着社会历史现实的背景。诗文之道,未为小也。

茅檐方是安巢地

燕

刘克庄

野老柴门日日开,且无栏槛碍飞回。
劝君莫入珠帘去,羯鼓如雷打出来。

诗人借咏燕,表明一种人生价值取向和立身行事的态度。

诗人对燕子说:乡野人家进出方便,柴门天天开着,没有任何障碍物阻拦你飞去飞回。言下之意,这和那些侯门贵府,完全不一样。为此,诗人奉劝燕子:千万不要进到朱门绣户去。别的不说,单是那里的羯鼓,就像炸雷一般震天价响,你还没等进去,就会被轰打出来。"羯鼓",是一种古老的打击乐器,出自我国少数民族聚居的西域,于南北朝时传入中原。鼓形如漆桶,敲击用两根木杖,声音急促、高亢、洪亮。

诗人还有一首咏燕诗,可以参看:"曾客乌衣看落花,春风吹影傍天涯。茅檐亦有安巢地,何必王家与谢家。"说,有的燕子向慕富贵荣华,曾经到乌衣巷里去做客,欣赏落花片片,感受着"春风吹影"的快活。其实,这些花花草草,柴门茅舍里样样不缺,尽可以安巢度日,完全没有必要非要到乌衣巷的王谢之家!

诗的艺术手法,有三点可供研索:一是,运用象征性的形象语言,即景抒怀,就物说理;二是,采用对话形式,显得亲切自然,活泼有趣;三是,以柴门茅舍与朱门绣户作鲜明的对比,富有说服力、感染力。

官场中的"恐高症"

登六和塔

李宗勉[①]

经从塔下几春秋,每恨无因到上头。
今日始知高处险,不如归去卧林丘。

诗中说,多少年来,常常从杭州钱塘江边的六和塔下经过,总以找不到因由攀登上去为憾。今天总算有机会爬上去了,心中自然欣喜不置。可是,俯身往下一看,离地竟有那么高,觉得实在是太危险了。这时候才意识到,与其凭险登高,提心吊胆,倒真不如回去安卧林泉、脚踏实地为好。

诗人通过登六和塔这一日常生活细事,隐喻宦海浮沉,身居高官显位承受着巨大的风险,随时都面临着覆舟之惧。应该说,患这种"恐高症"的人,绝非孤立的个例,而是反映了封建士大夫的普遍心理。宋人李若拙针对为官不易、做人实难,作《五知先生传》,谓做人当知时、知难、知命、知退、知足。时人以为真知智见。明朝进士许相卿,多次上书朝廷,针砭时弊,均不见用,遂归隐湖山,课耕力食。他

[①] 李宗勉(？—1241),南宋开禧元年进士。居官严守法度,乐闻谠言。虽身居台辅,而家类贫士,时人誉之为"公清之相"。

有一句警语:"富贵怕见花开",意谓"已开则谢,适可喜,正可惧"。

当然,对于李宗勉的说法,有些人也未必认同。同样是登塔,同样也在浙江,清人郑赞元的诗,就抱持另一番见解:"隔水遥瞻最上层,俯涵波影亦崚嶒。昂头已近青云路,奋翮何人快早登。"关于他的身份,地方志记为"邑人",看来属于隐居乡野,未曾入仕之逸士,缺乏上列李、许诸公的切身体会,如同他自己所写的:"隔水遥瞻最上层",因而也就谈不上对于仕途、官场有什么戒惧了。

旧意新翻寄柳枝

柳

朱继芳①

临水送将归,春风折赠时。
而今三丈树,元是手中枝。

柳,在中国古典诗文中,具有一种意象的属性。所谓意象,是指某种有着定型指义的事物,被历代诗人、作家不断袭用,藉以表达一定的情感;而读者无须借助其他文字,仅仅依凭这一意象,就能准确地把握作者的情感脉络。本诗中的柳,就起着这样的作用。

首句摘用宋玉《九辩》中名句:"登山临水兮送将归",意谓为亲人或友人送别。次句引出柳树,古时相别有折柳枝以赠行人的习俗。但是,诗人朱继芳并没有停留在惯有的叹离伤别的情感表述,以及"多情种""无情物"这类抒写上,而是以此为铺垫,另起炉灶,翻出新意。从眼前所见的高大柳树,原本是当年折柳送别时栽插的嫩枝这一事实出发,引申出"树犹如此,人何以堪"的感慨;同时,读者更能从中领略到凡巨皆作于细、凡大皆起于小的事物发展的道理。这两

---

① 朱继芳,理宗绍定年间进士,诗人"江湖派",有《静佳乙稿》。

方面,应是全诗的主旨所在。前者抒发情感,后者阐明道理;前者令人感伤,后者引发思索。句中的"元",与"原"同义。

它使人联想到另外一位诗人的《咏葵花》五绝:"花生初咫尺,意思已寻丈。一日复一日,看看众花上。"作者为吴子良,与朱继芳大致同时,二诗的意旨也颇为相似。

材大难为用

盆荷

居简[①]

萍粘古瓦水泓天,数叶田田贴小钱。
才大古来无用处,不须十丈藕如船。

开头描写,古旧的陶盆中贮满清水,荡着浮萍,映着蓝天。盆中有几片莲叶浮在水上,像贴在水面的小钱。这些都是铺垫,诗人最想说的话还在后面:无须嫌瓦盆局促、莲叶如钱,小有小的优势,自古以来,大才槃槃的人,反倒没有什么用处。须知,庸人当道,高才无人赏识,英雄没有用武之地,原是社会人生中的常见现象。于是,最后下一定语:"不须十丈藕如船。"意思是,只在盆中开个小花就蛮好了,要那像船一样大的十丈藕根,又有什么用处?通篇都是反话,却又不肯说破。一腔怀才不遇的愤懑之情,跃然纸上,既富形象,又含哲理,深得诗中三昧。

本诗属于咏物诗,咏物诗必有寄托。这里的寄托,是借盆荷来抒发"材大难为用"的愤慨。但诗人并未停留在一般的借物咏怀上,而

[①] 居简(1164—1246),临济宗诗僧。宋理宗嘉熙年间,奉旨主持西湖净慈寺。儒释兼通,工诗善文。

是通过大量引用古代诗文典故来加以参证。"数叶田田"源自古诗"江南可采莲,莲叶何田田"句;"才大古来无用处",则是直接化用杜甫《古柏行》中诗句:"古来材大难为用";而最后一句"不须十丈藕如船",则是做韩愈《古意》诗"太华峰头玉井莲,开花十丈藕如船"的翻案文章。

"大小之辩""有用无用之辩",原是战国时期两位大哲学家庄子与惠子多次争辩的一个话题。本诗在从这一哲学层面进行解读的同时,又从庸才压制英才、劣币驱逐良币的社会学层面,作了形象化的阐释。

是非之心　人皆有之

咏鹦鹉

定诸

罩向金笼好羽仪,分明喉舌似君稀。
不须一向随人语,须信人心有是非。

这是南宋诗僧定诸写的一首劝诫诗。

这类诗的特点,在于表达思想观念时,十分讲究艺术形式,用语亲切自然,通俗浅显,而且,一般都采用即事论理的手法,以求达到最佳的劝诫效果。本诗就正是这样。为了使道理说得清楚,并易于被人接受,作者选取鹦鹉这一富有特征的形象进行描摹、刻画,托物寓意,使道理蕴含在形象之中。

诗的前两句,描绘鹦鹉的外在形象和迷人手段。说它罩在饰金的雕笼之中,有着一身讨人喜欢的丰满的羽毛、漂亮的姿容,特别是喉舌乖巧,口齿伶俐,能够把各种事情说得天花乱坠,在鸟类中尤其罕见,分外令人喜爱。三、四两句,恳切地加以规劝:你可不要一味地随人学话,人云亦云;应该明确,世上的人心,是非分明,绝不含糊。先师孟子有言:"是非之心,人皆有之,智也。"明是非,别善恶,这是做人应有的智慧。

而如"站在释教的立场,佛门的角度"来剖析,则是"要僧徒、佛众跳出世人的是非圈,把定自性,捐弃世俗的语言,不让它沾污自性的清净"。(潘人和《儒道释诗汇赏》释诗卷)

表面上看,话是对着鹦鹉说的,实际上,句句都是针对世人。从这个特点来说,它又很像是一则寓言。言简意赅,意蕴深刻,发人深思。

珍重未圆时

十四夜观月

林一龙①

只隔中秋一夕间,蟾光应未少清寒。
时人不会盈虚意,不到团圆不肯看。

诗中说,本来,离中秋只隔着一晚,按说,清寒的月光(传说月亮里有蟾蜍,故称"蟾光"),原本少不了许多。只不过世人不懂得事物盈虚消长、圆缺变化的道理,只愿赏识已成圆满的东西,因而不到月亮十分圆满,就都不肯去观看。其实,月盈则亏,物极必反,一切圆满的东西,都将转化为不圆满,倒不如在未圆之时来赏月,抱着期待、渴望、追求的心理,那才是更有意味、更有价值呢!

所谓"盈虚意",我们的老祖宗是看得最清楚的。《周易》中有"日中则昃,月盈则食,天地盈虚,与时消息","不可以盈,故受之以谦"的警示。告诉我们,事物发展到一定程度,就会向相反的方向转化。大文豪苏东坡深谙此理,有词云:"月有阴晴圆缺,人有悲欢离合,此事古难全。"又说:"盈虚者如彼,而卒莫消长也"。——这样两

---

① 林一龙,南宋咸淳年间进士。官至史馆检阅。性耿直,乐道人善。

相映照，就认识得全面了。

说到"观月"，宋初的德聪和尚有这样一首禅诗："轩前辘轳转冰盘，轩里诗成彻骨寒。多少人来看明月，谁知倒被明月看。"本诗有显、晦两层意蕴。显的意蕴，是说地上的人们热心地观赏着明月，而天上的明月，却在静默无言地俯视着众生。这已经带有禅的意味了；但不止于此，还有个如何观月的问题，这一点，诗人并未挑明，属于隐晦意蕴。观月，存在着迷、悟之分：迷则月我相悖，悟则月即吾心。在悟者眼中，明月就是一颗清澈明净的本心，心阴则月阴，心晴则月晴，心圆则月圆，心缺则月缺。月色如何，皆随汝心。苏东坡有言："菊花开时乃重阳，凉天佳月即中秋。不须以日月为断也。"篱畔的菊花绽放了，有了重阳节的氛围，就当是九月九好了；"天凉好个秋"，"银汉无声转月盘"，你就赏月好了，何必偏要等着八月十五呢。有菊花就是重阳，有月光就是中秋。可见，心与月从来没有远离过。

枉劳心

绝句

葛天民①

夜雨涨波高一尺,失却捣衣平正石。
天明水落石依然,老夫一夜空相忆。

　　诗人记述了日常的一次实际感受:夜间下了一场大雨,溪水猛涨了一尺多高,岸边一块平平正正的捣衣石,没入水中不见了,当时感到很惋惜。不料,待到天明,水落石出,竟是依然如故,枉劳我费了一夜忧思。
　　这里体现一种理趣:客观事物原本没有发生变化,可是,随着人们观察与认识的变化,却呈现出消长、存灭、隐现、浮沉的不同状态。日常生活中这种现象实在很多,它启示我们,认识事物,应着眼于现象与本质的区分,重视主客观条件的变化,顾及心理与物理的关系。
　　写到这里,笔者联想到南宋末年另外一位诗人严粲的七绝《雪梅》:"报道梅边雪未休,披衣晨起上帘钩。孤根清健元如许,空为花寒一夜愁。"诗人说,家人报告:梅边一直大雪茫茫,我真担心梅花会

---

① 葛天民,南宋诗人。曾为僧,后还俗,居杭州西湖,写诗以白描见胜。与姜夔、居简等多有唱和。

被冻伤。早晨忙着披衣起来，拉起窗帘察看，原来，竟是那样清新健壮，一树芬芳。我真是空为花寒，牵系了一夜愁肠。

二诗意旨、意象不尽相同，后者的着眼点该是赞美梅花傲雪凌霜的品格；但在艺术构思中，都突出了一段认识转换过程，特别是尾句："老夫一夜空相忆"和"空为花寒一夜愁"，两个"空"字，两个"一夜"，十分相似。

月映寒梅

寒夜

杜耒①

寒夜客来茶当酒,竹炉汤沸火初红。
寻常一样窗前月,才有梅花便不同。

寒风凛冽的冬夜,忽有客人过访,因为事先没有准备,樽中无酒,案上无肴,只好用茶当酒,于是,呼童生火煮茗。眼看着,炉里的火苗开始红了起来,水在壶里"咕嘟嘟"地沸腾着,屋子里暖烘烘的。"竹炉",也就是火炉,因炉子外面罩有竹篾做的套子,故名。这是说的室内。

那么,窗外呢?清冷的月光荧荧地照射着,看去与平时也并没有什么两样,只是有几枝梅花,在窗前轻摇着疏影,散发着幽香,洋溢着诗情画意,这就使得整个的氛围、情境,与往日格外地不同了。

诗句清通平易,但内涵却丰富、充实,我们可以从品茶、吟月、咏梅、享受友情等多个角度加以赏鉴;但本诗最值得称颂的,是营造了一种耐人寻味的清新意境,展现出一份隽永的情怀、淡雅的韵味。

---

① 杜耒(?—1227),号小山。曾官主簿,后入山阳帅幕。宋理宗宝庆三年,死于军乱之中。

茶、月、梅、友,四者幽姿雅韵,高度契合。茶味清苦、淡泊,所谓"冰雪心肠","茶禅一味";月色皎洁,纤尘不染,经常被诗人拈出,用来象征灵性与禅性;梅花凌寒傲雪,气节高坚,成为中华民族精神的化身;而寒夜来访的客人,绝非趋炎附势、逢场作戏的俗流,必是怀抱冰心、笃于友情的高洁之士。

艺术表现手法十分高妙:充分地运用了映衬(让人清澄宁静的茶与使人兴奋激扬的酒相互映衬)、对比(冬夜之寒与友情之暖对比)、烘托(梅花与明月交互烘托)、呼应(客人情重与主家汤沸火红呼应)、象征(窗前月因有暗香疏影而风韵陡增,冬夜因有朋友来访而驱寒送暖)等多种表现手法,相映生辉,各极其致。

本诗在当时就曾受到诗评家黄升与魏庆之的赞赏,他们分别在《玉林清话》《诗人玉屑》中指出,苏泂《金陵》诗"人家一样垂杨柳,种在宫墙自不同",与杜耒诗"寻常一样窗前月,才有梅花便不同",二联一意,都意有旁指。而由于后者曾被选入旧时童蒙读物《千家诗》,因而就传播得更广了。

人生境界

看叶

罗与之①

红紫飘零草不芳,始宜携杖向池塘。
看花应不如看叶,绿影扶疏意味长。

  这是一首即景咏怀的佳作。诗中透过绿暗红稀、芳华消歇的自然景象,以一种略带感伤的情调,展示步入老境的人生况味,显现寄至味于淡泊方能持久的哲思理蕴。
  诗人笔下是一番晚春景象:姹紫嫣红的繁花,已经纷纷凋谢了,路旁的青草也失去了往日的芳馨。这个时节,倒是适合携着手杖,朝着池塘走去,那里的清波映着绿叶扶疏的青林倒影,才真是称得上韵味悠长哩!"携杖"二字,暗示着人已濒临老境。
  "暮年心事一枝筇。"对于老年人来说,象征春天的青春早成旧梦,只有付诸余生忆想了。此刻,心性渐趋宁静,不再像从前那样,对于鲜花着锦、烈火烹油般的景象有着浓烈的兴趣,倒是觉得清波倒影、绿树荫浓,更是惬怀适意,所以用了"始宜"二字。当然,说是"始

---

① 罗与之,南宋诗人。因累试不第,遂归隐林泉,潜心性命之学。诗以风情胜。

宜",终究带上了丝丝怅惘。不是吗？本来，溪水无心地流淌着，不涉人情，无关世事，可是，原本积极入世的孔老夫子溪旁闲步，看在眼里，却蓦然兴起岁月迁流、"逝者如斯"的慨叹。应该说，这也是人情之常啊。

"看花应不如看叶"，这里含蕴着人生至理。繁花似锦，容易凋谢，而活力充沛的绿叶婆娑，则比较长远，而且同样能够给人以美感。如果跳出自然景观，扩展到社会人生层面，前人有"寄至味于淡泊""绚烂归于平淡"的说法。淡泊也好，平淡也好，都是一种人生境界，一种生存方式，反映出一个人内在的襟怀与外在的风貌，集中地表现为一种人生追求，精神涵养。这种宁静与淡泊，会使人显示智慧的灵光、超拔的感悟，以"过来人"的清醒与冷静，对客观事物作静观默察，持超拔心态。平淡不是消沉，乃是修养已深，思想和见解均已成熟，归返纯粹自然，而无丝毫做作。

其实，情注绿叶，也不只限于老年人，诗人一向是兴味盎然的。"春风取花去，酬我以清阴"，"绿树阴浓夏日长"，"梅花一时艳，竹叶千年色"，都是脍炙人口的名句。而本诗由于作者在大自然中巧妙地捕捉到一种极为普通的意象，以含蓄深沉的笔调，表现出回归于平淡生活的独特感受，进而阐发出深刻的哲思理蕴，读来尤觉意兴悠然，耐人寻味。

贫户无春

商歌

罗与之

东风满天地,贫家独无春。
负薪花下过,燕语似讥人。

　　前两句说的是,东风送暖,万物复苏,春满人间,但是,贫穷人家例外,独独没有春天。这个"独无",意为春光、春色触处皆是,却由于饥寒交迫之人,整天奔走于衣食,愁肠百结,没有心思关注,所以虽有若无。三、四两句,由议论转入形象描绘:为了谋生,贫苦农民不得不背负沉重的东西(柴薪只是其中一种),走东串西,即便是从浓香艳丽的花下经过,也没有那份心思赏玩,以至连空中的燕子也在叽叽喳喳地,像是在讥讽他缺乏审美情趣,不懂得珍惜春光。
　　这种"无春"的感受,对于困顿穷途中的诗人来说,更是分外鲜明、特别敏感。诗人杜审言、孟郊、方回分别有"今年流寓独游秦,愁思看春不当春","万物皆及时,独余不觉春","政(正)复花时如此雨,谁知我辈本无春"之句。吾乡旧时有一位穷秀才,贫居富家廊下,每次回家都遭到恶犬狂吠,除夕,他曾题写一首七绝:"春到贫家不当春,褴衫添得泪痕新。催租只怕年关近,黄犬无知也吠人。"读了令人心酸气沮,声泪俱下。

应该说,这类诗写得最好的,还是这首《商歌》。先说诗的题目,"商歌"为古乐府旧题。商,原本属秋,作为五音之一,哀怨悲凉,象征萧瑟的秋天。商歌,也就是秋歌。然而,诗人却用秋歌来咏叹春天情事,这本身就是"无春"的隐喻;暗里含有一层寓意——对于穷苦人家而言,春天就像秋天般的萧瑟凄凉。再看诗人所采用的对比手法,除了诗题内涵作秋与春的对比;还有"满天地"与"独无春"的对比;特别是"负薪花下"与"燕语讥人"的强烈对比,尤见巧思。

莫怨西风

青山

汪若梅①

万木惊秋各自残,蛩声扶砌诉新寒。
西风不是吹黄落,要放青山与客看。

在诗人笔下,万木也好,蟋蟀("蛩")也好,西风也好,都是像人一样能思考、有知觉、会作为、有目的的。你看,由于惊秋,万般林木都纷纷落叶疏枝,像是自戕自残一般;而蟋蟀则循着阶砌,一迭连声地倾诉着秋冷霜寒。

在一般人心目中,包括那个大文豪欧阳修,都把"草拂之而色变,木遭之而叶脱""摧败零落"的罪责,记在秋风的账上,说它"常以肃杀而为心"。然而,这个宋末的诗人汪若梅,却力排众议,一反过去文人悲秋、怨秋的成见,另外提出一种见解:西风哪里是要摧残林木啊?它是为了把青山从葱茏蓊郁之中释放出来,亮出峥嵘本相,给四方来客看呢!

这种写法,颇似唐代诗人王建的《宫词》:"树头树底觅残红,一

---

① 汪若梅,南宋度宗咸淳年间,为紫阳书院山长。精研理学,尤工诗。

片西飞一片东。自是桃花贪结子,错教人恨五更风。"两首诗都是为风开脱"罪责",一个说,"西风"不是"以肃杀为心"、蓄意制造"黄落",而是为了亮出青山秀色;一个说,原本是桃花贪图着早日结子成实,急于让花朵陨落,却错误地把账记在了"五更风"的名下。当然,他这样说,不过是借题发挥,并非对五更风特意钟情,而是意在言外,别有寄托。

二诗寓意不同,但构思手法有其相似之点。明快中见委曲,流利中寓顿挫,富于情趣、理趣。

陶然忘机

池荷

黄庚①

红藕花多映碧栏,秋风才起易凋残。
池塘一段荣枯事,都被沙鸥冷眼看。

  作为咏物诗,开头两句,实写红荷盛开,繁花似锦和秋风乍起,落英委地,显现自夏至秋的季节更迭。面对这一变化过程,古往今来,诗人们一般都是联系社会人生,从青春已逝、繁华不再、人生易老、胜景无常角度,持感叹、悲伤、悼惜的态度。而黄庚却是别开生面,另辟新路,抛开池荷这一意象本身,去做旁观者的文章。三、四两句说,发生在池塘中的这一段花开花谢的荣枯故事,全都被池旁闲立的沙鸥冷眼旁观了。在这里,沙鸥被拟人化,似乎既有感知,又有领悟。那么,它究竟感知到什么呢?诗人却略过不说,交给读者去领悟。
  在古代诗文中,沙鸥总是被文人骚客作为主体感情或情结的外在表现,亦即所谓意象,纳入作品之中。那么,沙鸥代表着一种怎样的标格、气质、形象呢?概言之,就是逍遥自适、冷对世情、远离尘网、

---

① 黄庚,出生于宋末,入元未仕,放浪江湖,平生豪放之气发而为诗文。

陶然忘机。这有流传广远的历代诗文可资鉴证。诸如："物我俱忘怀,可以狎鸥鸟"(江淹),"久被浮名系,能无愧海鸥"(刘长卿),"除却伴谈秋水外,野鸥何处更忘机"(陆龟蒙);而发抒得最充分、最明确的,还是陆游以"鸥"为题的七绝:"海上轻鸥何处寻,烟波万里信浮沉。今朝忽向船头见,消尽平生得丧心。"

弄清了这一点,我们再来探究"都被沙鸥冷眼看"的情事或者它所感知的内蕴就比较容易了。这个余地很大,可以作多方面解读。在沙鸥这个旁观者看来,四时更迭,草木荣枯,花开花落,全属自然现象,无关乎人事,用不着人们随之而欣喜悲伤、移情遣兴;再引申一步,世间盛衰成败,人生穷通寿夭,不以个人意志为转移,完全可以看轻看淡一些;而堪笑亦堪怜的,是那么多人竟然围绕着蜗角虚名、蝇头微利,拼搏终生,直至髓尽血枯。

在有意无意、然然否否之间着墨,含蓄、蕴藉,寄怀深远,正是本诗的妙处。

戒　虚

题壁

无名氏

一团茅草乱蓬蓬,蓦地烧天蓦地空。
争似满炉煨榾柮,漫腾腾地暖烘烘。

这是一位无名诗人题写在石壁上的咏物诗。诗句通俗易懂,讲述的也是极为平常的现象,可是,却引起了诸多名家的关注。《宋诗纪事》引《许彦周诗话》云:"宣和癸卯(宋徽宗宣和五年),仆游嵩山峻极中院,法堂后檐壁间,有诗云云。其旁隶书四字云:'勿毁此诗。'寺僧指示曰:'此四字,司马相公(当是指司马光)亲书也。'"

钱锺书先生指出:宋诗"爱讲道理,发议论";元初刘壎也曾说:"宋人诗体多尚赋而比兴寡"。可是,此诗却完全是另一副形态。诗人运用对比的手法,以形象化的语言,描绘了人们常见的两种事物:茅草燃烧时,红红火火,烟气腾腾,但转眼间,便烟消火灭,空无所有,所谓一哄而起,一哄而落;而火炉里慢慢燃烧("煨")的树根、木块("榾柮"),却能持续较长时间,而且热量很大。诗人用"争(怎)似"二字下了结论:看来,茅草是无法与之相比的。

"看似寻常却奇崛",诗中意蕴十分丰富。它使我们联想到人情世态中的浮躁与扎实、短暂与持久、表象与本质等诸般道理,从而领悟到:应该老实做人,认真处事;重视实际,不务虚名;关注长远,循序渐进;勿为表面红火、虚假繁荣、瞬时荣耀所迷惑。

一失足成千古恨

油污衣

无名氏

一点清油污白衣,斑斑驳驳使人疑。
纵饶洗遍千江水,争似当初不污时。

诗中讲述的是尽人皆知、世所公认的事实:一点点油污黑渍,弄脏了洁白的衣裳,斑斑驳驳、花花点点,让人们无限地烦恼、疑虑。因为一经污染,纵令你用尽了千江清水反复漂洗,也不可能再像当初未被污染之时那么洁白,那么纯净。

这首即兴咏怀的短诗,语言通俗,作者失载,却颇有来头。宋代知名学者洪迈在其名著《容斋随笔》中,曾予引用,并附小序,说他十岁时,过衢州白沙渡,见岸上酒店败壁间,有这首题诗,觉得"殊有理致","甚爱其语,今六十余年,尚历历不忘,漫志于此"。到了清代,大诗人袁枚又把这首诗录入《随园诗话》(个别字有变化)。因而传播甚广。

现在,我们就来考究洪迈所说的"殊有理致",究何所指。作者着意之点,当是教人慎重立身行事,万勿失足,以免抱恨终身。前人有诗句云:"一失足成千古恨,再回头已百年身",警戒世人要慎重自持,防微杜渐。古圣先贤讲得就更严格了,提出要"正心诚意","吾日三省吾身","戒慎乎其所不睹,恐惧乎其所不闻。莫见(现)乎隐,莫显乎微,故君子慎其独也"。强调修身做人应从细微处入手,小节不拘,终累大德。当然,也还需要加说一句:万一不慎犯了错误,做了错事,也不应就此消沉下去,自暴自弃,"过而能改,善莫大焉"。

辽金元代

诗文长在

题李俨黄菊赋

耶律弘基①

昨日得卿黄菊赋,碎剪金英填作句。
至今襟袖有余香,冷落秋风吹不去。

本诗录自《辽诗纪事》。南宋诗人陆游《老学庵笔记》云:"辽相李俨作《黄菊赋》,献其主耶律弘基。弘基作诗题其后以赐之。"李俨,字若思,仕辽,赐姓耶律,《辽史》作耶律俨。有诗名,官至枢密院事。

本诗称赞李俨的《黄菊赋》高清典雅,说他的佳词丽句像是剪碎的金色菊花,昨天展读之际,感到鼻端有馨香萦绕,直至今天仍然觉得襟袖间留有余香,即便是冷落的秋风,也没能把它吹散。

鉴于李俨辞赋黄菊,诗人题诗便巧妙地就近取材,用菊花之香来比拟文辞之香,这样就深化了题旨,丰富了意蕴。不仅运思新颖,更主要的是提出了一个耐人寻味、颇富理趣的问题:自然界的菊花之香毕竟不能经时过久,而"大块文章"所施放的馨香则百世长存。

---

① 耶律弘基(1032—1101),即辽道宗。兴宗耶律宗真长子。

作为辽代的名作,本诗在后世文坛上仍有较大的影响。元代著名诗人虞集《道园词集》中记载:"故辽主得其臣所献《黄菊赋》,题其后曰:……二月末,与杨迁镇、陈众仲观杏城东,坐客有为予诵此者,因栝櫽归腔,令佐酒者歌之:'昨日得卿黄菊赋。细蒻金英,题作多情句。冷落西风吹不去,袖中犹有余香度。沧海尘生秋日暮。玉砌雕栏,木叶鸣疏雨。江总白头心更苦。素琴犹写幽兰谱。'"从《蝶恋花》词前小序中得知,已经过去了二百年左右,到了元代,人们还熟记着这首诗,诗人即席将它"栝櫽归腔",填就了一首名词,被诸管弦,流传开去。说是"'大块文章'所施放的馨香则百世长存",不为过也。

耶律弘基在位四十六年,重视吸收汉文化,通音律,喜书画,擅诗赋,常以诗赐戚臣、僧侣。《赠法均大师》有句云:"行高峰顶松千尺,戒净天心月一轮。"《辽史》上说他"初即位,求直言,访治道,劝农兴学","粲然可观";尔后,惑于奸佞,"群邪并兴,谗巧竞进,皇基寖危",国势日衰。

膏火自煎

麝香

秦略①

山麝逃风远谷藏,一山行过四山香。
脐堂自养千钧弩,枉怨虞人鼻孔长。

本诗以隐喻手法,形象地宣扬了老庄藏锋自保、韬光养晦的思想,寓意深长,富含哲理。

诗的喻体为山麝,通称香獐子。这是一种哺乳动物,形体似鹿而小,雄麝肚脐与生殖器之间,生有腺囊,能够分泌一种能发出特殊香气的麝香,为名贵香料与药材,因而经常遭到虞人(古代掌管山林之官,亦主苑囿田猎。这里指狩猎的人)的捕杀。

诗人说,山麝由于身上带着一种异香,因而时刻担心会被风传送出去遭到猎杀,于是,逃进深山远谷之中躲藏起来。但是,这种香气是掩藏不住的,一麝穿行,四岭皆香,最后还是被嗅觉灵敏的猎人嗅到了,仍然逃脱不了悲惨的命运。猎人的贪婪与狠毒,确也遭人恨怨;但致祸的根源还应在香獐子自身上寻找。正是由于它的身上藏

---

① 秦略(1161—1227),金代诗人。屡试不第,年四十即不就举选,终身以诗为事。其诗尚雕刻,而不见斧凿痕迹,颇有自得之趣。

有特别贵重的香料,从而导致杀身之祸,这无异于在自己的肚脐眼内安置了千钧强弩,随时随地都埋伏下杀机。这么说来,也就无须怨恨狩猎者嗅觉灵敏,鼻孔太长了。

而种种喻体,最后的落脚处,往往都是现实社会中的人。中国古代哲人早就观察到了这种现象。

《春秋左传·桓公十年》记载:初,虞叔有玉,虞公求旃(之)。弗献(不想给)。既而悔之,曰:"周谚有之:'匹夫无罪,怀璧其罪。'吾焉用此,其以贾害(致祸)也?"乃献之。

《庄子》中也讲:"山木自寇(山木成材,自讨砍伐)也;膏火自煎(油脂可燃,遭受熬煎)也;桂可食,故伐之;漆可用,故割之。"

这与本诗中的香麝"脐堂自有千钧弩",寓意是相同的。

为此,老子提出:"塞其兑,闭其门,挫其锐,解其纷,和其光,同其尘",意思是:塞住嗜欲的孔窍,闭起嗜欲的门径,不露锋芒,消解纷扰,含敛光辉,混同尘世。《庄子·则阳》篇中,也借孔子之口讲,处兹乱世,应该"自埋于民,自藏于畔"(意为隐居不仕),"声销","陆沉"(虽在陆地,而如同沉没于水),大智若愚。

动物当然是无理智、无思想的,但出于生存本能,许多野生动物倒也表现得十分"明智"。面对人类的疯狂捕猎,它们会机敏地实施自身保护的策略。西域产牦牛,尾长而劲,当有人射猎时,它们便忍痛自断其尾。蚺蛇被人取过胆后,幸而未死者,见人便主动显示它的创处,说明已经无胆可采。有些动物善于伪装,将自己隐藏得与周围生存环境浑然一体,比如变色龙以及某些蝴蝶、鱼类等,这样,它们的猎捕者就不容易发现了。

纯任自然

龙门石佛

刘中①

凿破苍崖已失真,又添行客眼中尘。
请君看取他山石,不费工夫总法身。

龙门石窟,坐落于河南洛阳市伊河岸边,佛龛始凿于北魏孝文帝时期;后经东、西魏至北宋四百余年陆续加凿,开窟两千余座,造像十万余尊,成为著名佛像石窟。

面对森然罗列的石窟造像,诗人感慨重重地说,纯任自然、形态完整的青苍色的石崖,经过这么一凿,已经失去了自然的本色;而凿石为像,怪怪奇奇,更是平添了污染行人身心的俗尘。(佛教称色、声、香、味、触、法为"六尘"。)接下来,诗人又就如何看待佛法真身("法身")的问题,发表了独特的见解:请看那些未经人工雕琢、保持自然本色、呈现百态千姿的他山岩石,它们就是"法身";而顺其自然,不费功夫,便是保持"法身"完整形态的最好方法。

料想诗人肯定研读过《六祖坛经》,那里面记载了一个方辩塑像

---

① 刘中,金章宗明昌五年中词赋经义第。"短小精悍,滑稽玩世"。擅古文,著名诗人王若虚出其门下。

的故事:"蜀僧方辩比丘者,来谒六祖。师(六祖)问:'上人作何事业?'对曰:'善塑。'师正色曰:'汝试塑看!'蜀僧竟罔然不知所措。过了几日,蜀僧塑就六祖真相,高约七寸,曲尽其妙。师笑曰:'汝善塑性,但不解佛性(你真的很会塑像,不过,你只了解塑像的特性,却不太了解自己的佛性)。'"

诗的寓意很深,我们可以透过它的佛学外观,进一步领略哲学与美学的内蕴,特别是加深了对于"庄学"的解悟:

一是,诗人崇尚那种保持本色,纯任自然,发扬自我本性的人生境界与生命本色。像庄子所说的,"不失其性命之情","牛马四足,是谓天;落马首,穿牛鼻,是谓人。故曰:无以人灭天,无以故灭命"(《秋水》)。也就是,不要人为地去妨碍生命的自然发展,不要用外力强行地改变它。

二是,奉行不事人工雕饰、保持天然本色的美学观。庄子指出:"天地有大美而不言",美存在于天地(大自然)之中,它体现了道的自然无为的根本特性。这一切,对于后世美学和艺术的发展都起到了积极作用。

世乱莫还乡　还乡须断肠

还家五首(其一、其五)

王若虚①

日日他乡恨不归,归来老泪更沾衣。
伤心何啻辽东鹤,不但人非物亦非。

艰危尝尽鬓成丝,转觉谨华不可期。
几度哀歌仰天问,何如还我未生时。

历代诗人吟咏乡情、乡心、乡梦的诗作,不胜枚举,他们所悲诉的人都是"有家归不得""空有梦还家"的苦痛;而此组诗却一反常情,做的是回乡反而增添痛苦,甚至后悔不该回来的反面文章。说日日夜夜盼望着回乡,恨不得立刻就踏上家中的门槛;哪里想到,回乡一看,一切都大失所望,旧日的欢乐时光("谨",同欢;"华",时光),永远也不可能期望它再现了,因而"哀歌仰天问","老泪更沾衣"。此刻的心境,只能用一个"悔"字概之——不仅深悔此行,甚至连当日投生到这个世界上,都满腔悔恨:"何如还我未生时。"

---

① 王若虚(1174—1243),号滹南遗老。金章宗承安二年经义进士,为县令有惠政,诗文创作尤有可观。

一般的人，离乡日久，回来一看，常有"物是人非"之感。英国长篇小说《简·爱》女主人公回到久别的桑菲尔德府，感慨系之，留下了一句名言："无生命的东西依旧，有生命的东西已面目全非。"人是有生命的，所以说"物是人非"。可是，诗人此刻眼前所见，却是无论人还是物，万般景象全然非复旧观，一切都破败凋零，真是："日暮途远，人间何世！"

"辽东鹤"，典出古籍《搜神记》："辽东城门有华表，忽一白鹤飞集，言曰：'有鸟有鸟丁令威，去家千载今来归。城郭如故人民非，何不学仙冢累累！'""何啻辽东鹤"，意思是，何止（岂止）像辽东鹤所感叹的——它说"城郭如故"，这里却是一切都不见了，因而百倍伤怀，千般失望。

其时处于金章宗统治后期，政局混乱，官场黑暗，腐败丛生，内外交困，又赶上旱魃作祟，哀鸿遍野。状元陈载曾上疏言事，从四个方面向章宗进谏，希望加以改革：边民苦于寇掠；农民困于军需；审决冤滞，一切从宽，纵容有罪；行省官员，例获厚赏，而沿边司县，曾不沾及，此亦违和气、致旱灾之由也。王若虚家乡藁城《乡土地理》也有记载："吾邑当宋、辽、金时代之南北咽喉，往来要冲，一动干戈，则兵马蹂躏，一横征暴敛，则人民逃亡，因之土地荒芜，人口稀少。"上列种种，印证了诗中所伤心感叹者，皆有由也。

其实，也不仅是王若虚诗作中如此记述，其他一些同时代的诗人也有类似咏怀："辽鹤归来万事空，人间无地著诗翁"（李纯甫），"兵戈为客苦思乡，春暮还乡却自伤"（辛愿），"白骨纵横似乱麻，几年桑梓变龙沙。只知河朔生灵尽，破屋荒烟却数家"（元好问）。说的都是世乱还乡的心灵痛楚。

前蜀诗人韦庄从人生感悟角度讲："未老莫还乡，还乡须断肠。"既然"归来老泪更沾衣"，那么，际兹世乱时艰，即便是垂暮之年，为了减少心中的痛苦，也该摒弃"落叶归根"之念，而不要仓皇回故里了。

大处着眼

杂诗

李纯甫①

乾坤大聚落,今古小朝昏。
诸子蝇钻纸,群雄虱处裈。
一心还入道,万物自归根。
却笑幽忧客,空招楚些魂。

诗人视野闳阔,气贯古今,其为诗也,大处落墨,杂糅释道,颇富哲理,具有一定的警世意义。诗中大量引用典故,亦其显著特点。

开头两句,从空间与时间入手,领起全篇。聚落,泛指村落,俗称居民点。语出《汉书·沟洫志》:"(河流)或久无害,稍筑室宅,遂成聚落。"诗人说,六合乾坤,无非是一个大村落而已。至于往古来今,也不过是一早一晚罢了。

三、四句,接着讲活跃在时空中的人物:一类是思想家——百家诸子,像"蝇钻故纸"(运用佛禅典故)那样,整天在那里探赜发微、穷理尽性,却找不到悟出的门路;而那些政治家、军事家("群雄"),扬

---

① 李纯甫(1177—1223),金章宗承安年间进士,曾入翰林,仕至尚书右司都事。聪敏好学,于书无所不窥。性嗜酒,未尝一日不饮,好为雄豪奇诡之语。

威耀武,割据争锋,闹闹营营,也就是一堆裤子(裈)缝隙里的虱子。"虱处裈中",典出阮籍《大人先生传》,比喻那些追求功名的君子活在世上,与裤缝中的虱子无异。

五、六句,深入一步,由否定进入肯定,谈论人生的思想追求:"入道",指老庄之道;"归根",归回本原,《老子》有"夫物芸芸,各复归其根","天地万物生于有,有生于无",最终复归于无。

最后两句说,既然万有皆归于无,那么,那些深忧痛惜的宋玉之流,也就完全没有必要怜哀屈原,"欲以复其精神,延其年寿"而招魂了。汉·王逸《楚辞章句》中指出:"《招魂》者,宋玉之所作也。宋玉怜哀屈原,忠而斥弃,愁懑山泽,魂魄放佚,厥命将落,故作《招魂》。"辛弃疾《沁园春》词,有"山中友,试高吟楚些,重与招魂"之句,本诗或袭用其语。"楚些"的"些"字,为楚人习用语气词。

史称,纯甫中岁遍观佛道典籍,悉其精微。从本诗中亦可见其端倪。

见得真　道得出

论诗三十首(选一)

元好问[①]

眼处心生句自神,暗中摸索总非真。
画图临出秦川景,亲到长安有几人?

在《论诗三十首》中,元好问以七言绝句形式,对汉魏至唐宋的主要诗家与流派,进行概括性的诗艺评论,阐发其深刻的文艺见解。本诗为第十一首,是专门评论诗人杜甫的,属于全部组诗的精髓。

诗中说,杜甫由于对生活实境亲眼观察、切身体验,能够从内心深处激发出真情实感,因而写出的诗出神入化,神采飞扬;而有些诗人却是并无现实生活的感受,只是暗中虚拟,凭空架构,从而导致作品空虚、浮泛,脱离了真实。如今画图中临摹出来秦川丽景的倒是不少,可是,又有几个人曾经亲身到过长安!诗中的"秦川",指今陕甘两省秦岭以北平原地带,长安居其间,擅风物之胜。

作为伟大的现实主义诗人,杜甫最重大的贡献,是使中国古典诗歌走向社会生活,走向广大人民。这和他一生始终未曾脱离社会生

[①] 元好问(1190—1257),自号遗山山人。金宣宗兴定年间进士,金亡不仕,以遗民自居,遍游名城胜迹。为金代成就最高的诗人,也是著名的散文家、历史学家。

活实际有直接关系。他从三十五岁到四十四岁,困守长安十年,政治失意,生活困苦,使他把个人际遇同"世上疮痍,民间疾苦"紧密联系起来,这是他的创作走向现实主义的关键时期。所以,元好问的诗中特意点出长安,是确有所指的。清·宗廷辅《古今论诗绝句》中指出:"景物兴会,无端凑泊,取之即是,自然入妙。若移时易地,则情随影迁,哀乐不同,而命辞亦异矣。少陵十载长安,长篇短咏,皆即事抒怀之作也。"

应该看到,本诗的更大针对性,还是宋人在学习杜诗中,忽视现实,以模拟为能事,"暗中摸索""闭门觅句"所产生的弊端。这对于后世的诗歌创作具有指导意义。当代学者贺新辉认为,元好问在这首诗中,提出了自己关于诗歌创作的主张——诗歌不是诗人脑中凭空虚构的,而是现实生活的反映。八百年前,元氏就有这种见解,实在是难能可贵的。唯其如此,他的诗歌创作才取得了令人敬佩的成就,执当时文坛牛耳三十年,被人视为北国诗人之翘楚,称之为"一代宗工"。

真实是诗的生命。清人查慎行有一句至理名言:"见得真,方道得出。"(《十二种诗评》)为此,元好问在诗中突出强调"眼处心生",特意标举杜甫的"亲到长安"。当代学者罗海燕指出,真,包有主体自然真性与客体固有天然不期而遇、自然融合的含义。真与天然,是元氏诗美论述的纲领,也是其论诗的出发点,既追求诗歌内容的真实,又追求表现手法即艺术形式的自然。这在很大程度上是源于庄子。"真者,所以受于天地自然,不可易也。故圣人法天贵真,不拘于俗。"(《庄子·渔父》)

不度金针

论诗三首(选一)

元好问

晕碧裁红点缀匀,一回拈出一回新。
鸳鸯绣了从教看,莫把金针度与人。

《论诗三十首》,是元好问评判他人的诗;而《论诗三首》则是谈自己的作诗体会。

本诗意蕴,可作两层解读。第一层是说,作诗好比绘画、刺绣,总要刻意经营,精心裁处,这样,拿出来的作品才能总是新鲜、别致。"晕碧裁红点缀匀",以绘画着色来比喻作诗的精心构想、熔铸、剪裁。晕,有描绘、点染的意思。

第二层,作者笔锋一转,说:诗写出来可以任人评判、欣赏,却不要把什么创作的秘要传授与人。因为写诗"须教自我胸中出",不是简单的方法、技巧问题。诗家讲究含蓄,所谓"不着一字,尽得风流"。"莫把金针度与人",也有不把机锋、禅理点破的意思。"金针"是用典,古籍《桂苑丛谈》载:郑采娘七夕祭织女,得授金针而使刺绣越发精巧。

为了帮助理解上述诗句,还可以引述一段《庄子·天道》篇中轮扁的话,"斫(砍削)轮,徐(缓)则甘(滑)而不固,疾则苦而不入;不徐不疾,得之于手而应于心,口不能言,有数存乎其间(分寸大小心中有数)。臣不能以喻臣之子,臣之子亦不能受之于臣"。这分明是说,斫轮的诀窍无法言传,须靠自己摸索、领悟。丹麦童话作家安徒生在其童话《冰姑娘》中讲过一句话:"上帝赐给我们硬壳果,但是,他却不替我们将它砸开。"敲开硬壳的诀窍,需要我们自己去摸索,上帝不想"代庖"。而作诗,更非斫轮、敲壳可比,这是一项高度复杂的精神活动,靠灵思妙悟,靠学识修养,靠自己在实践中揣摩,怎可能设想只凭他人传授的一个秘诀来奏效呢!"六十余年妄学诗,工夫深处独心知。"陆游此语,道尽了个中三昧。

冷眼观世

杂著九首(之八)

元好问

昨日东周今日秦,咸阳烟火洛阳尘。
百年蚁穴蜂衙里,笑煞昆仑顶上人。

诗人以哲学思维,从辩证的观点,慨乎其言:世事存亡莫卜、沧桑无定,昨日还是东周的天下,今天已经变成秦朝了;不过,无论如何变来变去,他们的都城洛阳也好,咸阳也好,也都一例火化烟消,成为尘土。而世人,上寿也不过百年,却是一个个整天都像蚂蚁、蜜蜂那样,在狭小的巢穴里,闹哄哄地争名夺利,百般计较,乱腾腾地尔虞我诈,血火交拼。("蜂衙"二字尤其形象:群蜂早晚聚集,簇拥着蜂王,如同旧时官吏那样,到上司衙门排班参见。)想那逍遥世外、冷眼旁观的昆仑顶上仙人,看到这种堪叹亦堪怜的世相,真得笑死("笑煞")。

接下来,说"咸阳烟火洛阳尘"。"楚人一炬,可怜焦土"(杜牧《阿房宫赋》句),"咸阳烟火",指此。而洛阳,东汉定都之后,又在原有基础上,大建宫观苑囿、楼台殿阁;纵横二十四条大街,长衢夹巷,四通八达;帝族王侯,外戚贵胄,争修园宅,竞夸豪丽;崇门丰室,洞户连房,飞阁生风,重楼起雾,极尽奢华之能事。可是,经过汉末董卓的破坏,顷刻间便全部化为尘土,"二百里内,无复孑遗"。

　　说到"洛阳尘",人们自然会联想到洛阳城北的邙山。由于"地脉"佳美,那些帝王公侯及其娇妻美妾,一瞑之后,便都齐刷刷、密麻麻地挤进这里来安葬,结果就出现了一个特别有趣的现象:无论生前是胜利者、失败者,得意的、失意的,杀人的抑或被杀的,知心人还是死对头,为寿为夭,是爱是仇,最后统统地都在这里碰头了。像元人散曲中讲的,"列国周秦齐汉楚,赢,都变做了土;输,都变做了土。"纵有千年铁门槛,终归一个土馒头。莎士比亚在一部剧作里,专门拉出理查王二世来谈坟墓、虫儿、墓志铭,谈到皇帝死后,虫儿在他的头颅中也玩着朝廷上的滑稽剧。元曲大家马东篱在套曲《秋思》中,沉痛地点染了一幅名缰利锁下拼死挣扎的浮世绘:"蛩吟罢一觉才宁贴,鸡鸣时万事无休歇。争名利何年是彻?看密匝匝蚁排兵,乱纷纷蜂酿蜜,闹嚷嚷蝇争血";"投至狐踪与兔穴,多少豪杰!鼎足虽坚半腰里折,魏耶?晋耶?"宇宙千般,人间万象,最后都在黄昏历乱、斜阳系缆中,收进历史老仙翁的歪把葫芦里。

　　最后,附带说一件事:月前,我在《古代哲理诗的文化生成》讲座中,谈到了这首诗,一位大学生提问:东周的都城在洛阳,秦朝的都城在咸阳,如果原诗第二句,改作"洛阳烟火咸阳尘",不是更切合事实、讲求逻辑、顺理成章吗?我说:诗人之所以那样设置,当是出于格律、音韵方面的考虑,第二句应是"平平仄仄仄平平"(一、三两字可平可仄),如果那样一改,就成了"仄平平仄平平平"("咸"是平声),十分拗口,看来还是原来的好。

爱惜芳心

同儿辈赋未开海棠(二首选一)

元好问

枝间新绿一重重,小蕾深藏数点红。
爱惜芳心莫轻吐,且教桃李闹春风。

全诗落笔在题目中的"未开"二字上。赋,在这里是动词,指咏诵。

诗人看到,海棠枝上现出一层层嫩叶的新绿,而含苞待放的花蕾却深藏着几点轻红,这是美感与希望的象征。于是,亲切地嘱咐这未开的海棠:你们应该爱惜芳心,不要轻易地开苞吐蕊;任凭那些夭桃艳李去争风斗胜,嬉闹春风吧。

这是一首寄怀深远的咏物诗。"赋未开海棠"云云,不排除是实写,作者就曾说过:"予绝爱未开杏花"(见《赋瓶中杂花》自注),海棠自然也不例外。但是,无疑也有借物咏怀、别有寄托的意向——意在训诲儿辈:做人应重视名节,保持内心纯洁;稳重行事,蓄势待发,不可轻浮,不要炫耀。

诗人作此诗时已进入暮年,时金已灭亡,回归故乡过着遗民生活。他本着儒家"达则兼济天下,穷则独善其身"的古训,砥砺自己,

"爱惜芳心",坚守节操,甘于隐居落寞,不与时流争宠。如同他在《新斋赋》中所表白的:"静可以崇高节而抗浮云。"诗句采用拟人化的手法,借未开海棠,寄托了自己的这种心志,深得比兴之妙。

勿忘身后的黄鹂

叹害人者人害

李通玄①

蝉噪松枝兴未休,螳螂牙爪利如钩。
一心只慕甜蝉味,岂顾黄鹂在后头。

诗中讲述了一个流传广远的中国传统民间故事:园中高高的松树上有一只蝉,正在那里兴高采烈地鸣叫着;没提防在它的背后,一只牙爪锋利如钩的螳螂,正伸长脖子,想把它捕捉到手,大快朵颐;螳螂哪里知道,当它正待享受一番香甜美味的时刻,树上一只黄鹂已经悄悄地伏在身后,做好了啄食它的准备。

这个故事,最早见于《庄子·山木》篇:"睹一蝉,方得美荫而忘其身;螳螂执翳(举臂)而搏之,见得而忘其形;异鹊从而利之,见利而忘其真。"到了汉初,韩婴又在《韩诗外传》中缀了一笔:"螳螂方欲食蝉,而不知黄雀在后,举其颈欲啄而食之也。"据此而概括为成语:"螳螂捕蝉,黄雀在后。"尔后,刘向又把它收入《说苑》一书中:"园中有树,其上有蝉。蝉高居悲鸣饮露,不知螳螂在其后也;螳螂委身曲

---

① 李通玄,金末全真道士,号通玄子,有《悟真集》。

附欲取蝉,而不知黄雀在其旁也;黄雀延颈要啄螳螂,而不知弹丸在其下也。此三者皆务欲得其前利,而不顾其后之有患也。"里面增加了执弹者待射黄雀的内容;并且对故事主旨,在庄子所作阐释的基础上,进一步加以发挥。

  本诗所记述的故事内容,与古代的大体相似,但在通过标题揭示主旨时,却做了异样的引申。它跳出了"见得而忘其形,见利而忘其真","务欲得其前利,而不顾其后患"的传统见解,专门从"害人者,人害之"的角度加以阐释,指明那些居心险恶、只想算计别人的人,最后终归坑害自己的可耻下场。这使人记起纪昀《阅微草堂笔记》中的一则趣谈:某高官寿终后,去冥府告状,说在位时提拔的门生故吏,个个都是"白眼狼",毫无感恩之心,请求阎罗王主持正义。阎罗王说:"此辈奔竞排挤,机械万端,天道昭昭,终罹冥谪。然神殛之则可,公责之则不可。'种桃李者得其实,种蒺藜者得其刺',公不闻乎?公所赏鉴,大抵附势之流,势去之后,乃责之以道义,是凿冰而求火也。"

  两个方面累加起来,既涵盖了对那些目光短浅、利令智昏,只顾眼前利益,不顾身后祸患的人的讥讽,又对世间专门祸害别人、作恶多端的恶棍发出了严正的警告。

双重哀悯

哀被掳妇

聂碧窗①

当年结发在深闺,岂料人生有别离。
到底不知因色误,马前犹自买胭脂!

全诗都在"哀"字上做文章。哀分两个层次,首先,是作者对民妇的被劫掳表示哀怜。说被劫掳的深闺少妇,燕尔新婚之后本应过着"琴瑟和谐"的安乐生活,却由于战乱,惨遭劫掳,被迫别夫弃子,长路跋涉,历尽风霜之苦。这种哀是哀其不幸;接下来,又进入更深一层的哀叹、哀伤、哀痛。这位少妇竟然执迷不悟,忘记了自己是因为年轻貌美而惨遭劫掳的,结果,路上看到有卖脂粉的,仍然要买,以便更好地打扮自己。"到底不知因色误",这后一层的哀,便是痛其不悟,这种悲哀的程度无疑是更深的。如果说,前者灾祸源于外因,那么,后者便是自取其祸。圣人有言:"天作孽,犹可违;自作孽,不可活。"悲夫!

其实,堪资哀痛、自取其祸的,又何止是被掳妇,世间这类至死不

---

① 聂碧窗,籍贯江西,元代道士诗人,南宋末年曾为龙翔宫书记。

悟、痴迷到底的人和事，可说是不胜枚举！作者所要警戒世人的，当在于此。上世纪末，我曾参加一个葬礼，死者不过五十岁，生前嗜酒成性，患有严重糖尿病，饭前必须注射胰岛素。可是，他的用意却不在治病，而是喝酒。这样，腰间扎过了针，接下来便是开怀畅饮，连续三年，终致病情恶化，中年弃世。就此，我曾题写一首七绝，表达哀惋之情："叹惜痴迷自作殃，死犹不悟益堪伤。一生未了香醪债，辜负哀言聂碧窗！"

古代宇宙观

杂兴(之一)

王旭[①]

天包地外地居中,天自无穷地有穷。
地是有形天是气,气形皆以道为宗。

这是一首较为鲜见的反映古代自然宇宙观的哲理诗。

中国古代,一直存在着空间究竟是无限还是有限、有极还是无极,天地关系与宇宙结构究竟怎样等争论。比较有代表性的,一是,东汉时张衡《浑天仪图注》中讲的:浑天如鸡子。天体圆如弹丸,地如蛋中黄,孤居于内,天大而地小。二是,三国时王蕃所说:天地之体,"周旋无端,其形浑浑然,故曰浑天"。三是,后来的"阴阳剖判;轻清者上浮而为天,重浊者下凝而为地"的说法。而元初的王旭,虽为词人、人文学者,却也发表了著名的观点,认为地球是有限的形体,而地球周遭的天,则是无形的茫茫大气,空间上具有无限性。科学界认为,他的诗体现了对天地关系、宇宙结构朴素的科学认识与辩证思想。

---

① 王旭,元初词人。家贫,力学,教授四方,游迹甚广。

不过，最后一句，却离开了科学的宇宙观，而进入了哲学范畴。"以道为宗"，出自古籍《吕氏春秋》，反映了老子"道生一（阴阳未分的元气），一生二（阴阳二气），三（阴阳交合）生万物"的观念。

清音独远

以琼扇一握奉至黄明府

范梈[①]

拾得炎州月一团,殷勤持赠比琅玕。
情知已是秋风后,留作明年九夏寒。

诗题一作《老鸦扇》。老鸦扇为琼州名产,出自今海南临高。

诗人将一把琼州产的团扇,赠给一位当知县("明府")的黄姓友人,还附了一首七绝。说,我把它当作珍贵的美玉,殷勤、恳挚地奉赠给您。明明知道,现在已是秋凉时节,团扇用不上了,但是我还想寄上。因为四时代序,寒来暑往,不妨留待明年盛夏时期使用,它会带来一片寒凉的。"九夏",指夏季九十天。

这是一首题赠诗,兼具咏物、遣怀、寓意的特点。奉赠一把团扇,本来是很普通的事,诗人却写得别有情致,意兴盎然,平添趣味;且意蕴深远,别有寄托——受扇者为一位官员,就中可能也寓有为政不能目光短浅、应须多看几步的深意。范氏还有一首《十月白牡丹》七绝:"霜槛枝头结素云,分明便有绣成裀。紫皇为爱春风早,特向瑶

[①] 范梈(1272—1330),世称文白先生。元代诗人,天资颖异,耽诗工文,用力精深。曾任翰林院编修。

台折赠君。"都是在"时间差"上做文章。

在中国古代文学史上,范梈与虞集、杨载、揭傒斯合称"元代四大家"。他的诗得到当时与尔后的学人的很高评价。一般认为,他的绝句、律诗有唐人特色,风格多样,意境清奇,含蓄蕴藉;语言洗练、自然,力避雕饰。有的评说:"范诗如绝色妇人,脱尽脂粉与人斗妍,故无有及之者。"前辈学者钱基博许之以:"如晓钟疏唱,清音独远,意有沉郁,语会飘渺。"

手足情深

兄弟(二首)

法昭

兄弟同居忍便安,莫因毫末起争端。
眼前生子又兄弟,留与儿孙作样看!

同气连枝各自荣,些些言语莫伤情。
一回相见一回老,能得几时为弟兄!

也许是世间"兄弟阋墙"之类的事件看得过多了,因而这位已经遁入空门的元代诗僧,抱着悲天悯人的情怀,对于"五伦"中的兄弟关系,"三致意焉"。两首诗从不同角度、不同侧面,表述同一问题:如何处理好和为什么要处理好兄弟关系?

在祖国文化传统中,处理好弟兄关系的准则,是"兄友弟恭":兄长对弟弟友爱,弟弟对兄长恭敬。《史记·五帝本纪》中,记述远古圣贤的德政:"使布五教于四方,父义,母慈,兄友,弟恭,子孝,内平外成。"孟子有言:"人之有道也,饱食暖衣,逸居而无教,则近于禽兽。"儒家把处理好这些方面的关系,视为齐家、治国、平天下的基础。

第一首诗讲,弟兄之间,应该互相忍让、担待,不要斤斤计较一些细枝末节。因为彼此都要繁衍后代、生育子孙,子孙之间也还同样会结为兄弟。当长辈的如果终日"阋墙",形同陌路,不能给他们做出榜样,那将会流毒广远,后患无穷。诗句通俗易懂,里面却蕴含着深刻的道理。

第二首诗强调的是血缘关系。《千字文》里有"孔怀兄弟,同气连枝"之句,说的是兄弟形同手足,声气相通,枝叶相连,荣则同荣,损则俱损,不能因为些些言语伤了感情。"一回相见一回老,能得几时为弟兄!"情辞恳切,语重心长,令天下人为之动容。与曹植的《七步诗》"煮豆燃豆萁,豆在釜中泣。本是同根生,相煎何太急!"同为千古传诵的名句。

嬉笑怒骂

嘲伯颜太师

佚名

百千万锭犹嫌少,垛积金银北斗边。
可惜太师无远智,不将些子到黄泉!

大元帝国有两个伯颜:一个是蒙古巴邻氏伯颜,开国功臣、著名军事家;另一个伯颜,较前一个稍后,是招致天怒人怨的蔑儿乞部伯颜,为元代权臣,官居宰相(亦称太师),历事武宗、文宗、宁宗、惠宗四朝,荣贵无比。

惠宗即位之初,蔑儿乞部伯颜"独秉国柄,专权自恣",官衔多达二百四十六字,并被封为元代唯一的"大丞相"。著名学者陶宗仪《南村辍耕录》载,伯颜专权蠹政,贪恶无比,以罪谪迁,死在路上,寄棺驿舍,滑稽者题诗于壁。

诗中说,伯颜宦海专恣数十年,生前聚敛资财无数,堆积的金银能够高达北斗七星。死去却两手空空,一文钱也未能带走。诗人辛辣地讽刺说:老太师呀!你怎么这样缺乏长远打算呢?你应该早一点把钱财送到阴曹地府去啊。不然,你死后可怎么奢侈度日呢?

诗句剥皮见骨,痛快淋漓,无情地揭露了伯颜贪婪无厌的丑恶嘴脸。尤其是最后两句,千百年来,已经成为脍炙人口的名言警语,广泛流传。据说,清乾隆时,特大贪官和珅贪贿无度,骄纵至极,有人便把此诗张贴在他的大门上。它像一把锋利的尖刀,直插伯颜、和珅的痛处,也使后世所有聚敛资财、贪得无厌之辈,痛入骨髓,"冷訾辛阚"(《百家姓》句,谐音"冷刺心坎"),不啻当头棒喝。

与此相似,宋代奸相贾似道,贪名昭著,动辄征收苛捐杂税,以中饱私囊,时人作诗加以讽刺:"量尽沙边到水边,只留沧海与青天。渔舟若过闲洲渚,为报沙鸥莫浪眠。"除了苍天碧海,其他一切都被这个奸相搜刮尽净;最后连逍遥闲适、不预人间世事的沙鸥都不能安眠了。真是极尽讽刺之能事。

笔底春光

白梅

王冕①

冰雪林中著此身,不同桃李混芳尘。
忽然一夜清香发,散作乾坤万里春。

这是一首广为世人传诵的题画之作。作者托身白梅,说自己静寂地着("著")身于冰雪林中,不肯让芳尘倩影与夭桃艳李混杂在一起。一种孤芳自赏的庄严感、圣洁感、自豪感,跃然纸上。诗中描写白梅逸世绝俗,品高志清,一朝怒放,万里皆春,深深地烙上了作者的影像,寄托了他的节操、志趣与价值取向。这使人联想到王安石的咏梅五绝:"墙角数枝梅,凌寒独自开。遥知不是雪,为有暗香来。"诗人由衷地赞赏梅花不畏严寒、冰姿玉骨的高洁品性,彰显梅胜于雪,坚强而高洁的人格魅力。

"凌寒独自开"也好,"不同桃李混芳尘"也好,抒写的都是诗人孤高自持、迥异凡俗的气质,而且,落脚点都在清香散发上。而王冕的诗又深入掘进一层——洁则洁矣,雅则雅矣,终究是太孤独了;于

---

① 王冕(1287—1359),元末著名诗人、画家。出身农家,应科举不第,遍游天下,后入山归隐。

是,作者又寄寓了一种热望:忽然一夜寒梅怒放,清香四溢,顿时,盈盈春色笼罩了万里乾坤。诗人要按照自己的意愿,营造一个理想的春天。这里反映出他的宏伟的抱负、雄豪的气魄与热切的期盼。

史载,王冕青年时代曾专心研究孙吴兵法,有澄清天下之伟志。但屡试不第,遂放旷江海,拒绝荐举,隐居在山明水秀的九里山,靠种田、养鱼、卖画谋生,以布衣终老。"忽然一夜清香发,散作乾坤万里春"的愿望,也只是画在纸上,而未能在实际生活中实现。

本诗形象鲜明,层次清晰,豪气充溢,语韵铿锵。其根本技法,是选取并运用意象——客观物象经过创作主体独特的情感活动而创造出来的一种艺术形象。具体地说,就是在客观物象白梅中融入创作主体的思想感情,将咏梅与寄托诗人的胸襟、怀抱、意志、愿想,不着痕迹地融合在一起,实现主观的"意"和客观的"象"的结合,两相映衬,互为表里。

乾坤清气得来难

墨梅

王冕

我家洗砚池头树，朵朵花开淡墨痕。
不要人夸好颜色，只流清气满乾坤。

诗人颇以同姓中出了个"书圣"而自豪。说，我们老王家的洗砚池头（会稽山下有王羲之的洗砚池。由于日复一日洗涤笔砚，把池水都染黑了），过去由于笔走龙蛇的法书而名闻千古，现在又因为出现了疏影横斜的墨梅，朵朵花开，淡墨飘香，而把人引向清幽的意境，令人气朗神清，感受到一种不与俗世合流的高雅气氛。诗人说，我画墨梅，并不是想同谁争奇斗艳，让人家夸赞娇美、妍丽的颜色，只是为了在天地间流溢着、荡漾着一股清气，散发出淡淡的幽香。"流"，《竹斋诗集》中作"留"。

前两句，描绘墨梅的外在形态，后两句抒写墨梅的内在气质、风韵。纸上神清骨秀、清高淡雅的墨梅意象，正是画家兼诗人傲骨嶙峋、超世拔俗、不向世俗献媚取宠的形象的真实写照。

在这首题画诗中，诗人托物言志，即景抒怀，将画意、诗情同自己的品格、情操、价值取向完美地熔于一炉。画品、诗品、人品，三位一体,有机融合,交相映衬。清人朱方霭在《画梅题记》中有诗云:"画梅须高人,非人(不是高人)梅则俗。会稽煮石农(王冕),妙笔绘寒玉。"可说是提挈要领,恰中肯綮。

前代卓越诗人元好问有"万古骚人呕肺肝,乾坤清气得来难"之句。"清气",为王氏此诗之眼,它是诗中赖以开拓意旨的关键词,也是把握全诗精髓的一把钥匙。那么,如何才能获致"清气"呢?诗人说了:"朵朵花开淡墨痕。"水墨画中的墨色,有清墨、淡墨、浓墨、焦墨、重墨之分,王冕所画的朵朵盛开的梅花,是用淡淡的墨迹点化成的。这是从绘画角度来解读的;而就人的气韵、格调来看,若要做到清高、清正、清雅、清虚,同样也需要淡。庄子有言:"平易恬淡,则忧患有不入,邪气不能袭,故其德全而神不亏。"

书生本色

戏题

吕思诚①

典却青衫供早厨,老妻何必更踌躇。
瓶中有醋堪烧菜,囊底无钱莫买鱼。
不敢妄为些子事,只因曾读数行书。
严霜烈日皆经过,次第春风到草庐。

早年读《儒林外史》,接触到这首诗的后半截,当时也像书中的娄公子一样,以为是一首七言绝句,相信是名士杨执中的大作;后来闲翻陶宗仪的《南村辍耕录》,才知道诗的真正作者是吕思诚。原诗为一首七律。"先生文章政事,皆过人远甚。而廉洁不污,家甚贫。至正间,官至中书左丞。先生未显时,一日,晨炊不继,欲布袍贸米于人,室氏有吝色。因戏作一诗云云。后果及第。"

诗的前半部分,集中书写生计的艰难、窘迫。首联说,早餐办不下去了,只好把刚刚换下的春衫拿去典当,准备换回一点粮米,可是,老妻("室氏")有点为难,踌躇不定。颔联隐含着诗人进行说服、劝

---

① 吕思诚(1293—1357),元泰定元年进士。曾总裁宋、辽、金三史。

解的寓意,说困难总是暂时的,咬咬牙,将就一下就过去了。"瓶中有醋堪烧菜,囊里无钱莫买鱼",意为因陋就简,将就着对付一下。

重点在后半部。颈联为全诗之中枢,讲的是做人立身的根本。诗句似是答问,又像自白。如此困顿窘迫,难道不好找个解决办法吗?比如攀附权贵,贪缘求进,走走门子,拉拉关系。对这类"些子事",诗人采取断然否决的态度。为什么?"只因曾读数行书"。书虽"数行",里面却昭示着"孝悌忠信礼义廉耻"的立身做人的大道理。尾联表明坚定的信念。劝说老妻把目光放远一些,暂忍饥寒,光明就在前头。果然,没过多久,他就考中了进士,开辟了发展前景。

史载,吕思诚性格倔强,刚直不阿。一次,文宗要阅国史,翰林院长官唯唯诺诺,思诚挺身进谏道:"国史记当代人君善恶,自古天子无观阅之者。"皇帝只好作罢。后出任广西廉访司事,悉心体察民情,不为权势所屈,深受人民敬重。

本诗通俗易解,意蕴却很深刻。作者既讲言传,更重身教,坚守立身做人、不忘初心的准则;展示了正确运用知识、学以致用、言行一致的学风;掌握了以辩证观点认识形势、对待困难、展望前景的思维方式、思想方法。在今天仍有现实意义,大有益于弘扬正气,警世励俗。

残缺之美

月岩

刘立雪[①]

世事从来满则亏,十分何似八分时。
青山作计常千古,只露岩前月半规。

诗人借助山岩遮月的景色,阐述世事盈亏、得失之间的辩证关系。一般的咏物诗,都是先写景物,然后即物明理;此诗别开生面,先讲一番道理,说世间的事物向来都是逢满即亏、物极必反的;所以,哲人主张"不到顶点"。之所以十分不如八分,就是因为八分尚有发展余地,而十分立刻就走下坡路了。诗人觉得光这么议论还不解渴,又举出眼前的自然现象来作为佐证,或者说,原本是从这一实物入手来发表见解的。他说,你看青山真有远见卓识,作出千秋万古的长远考虑,它就是不让满月露面,只将半钩新月显现在世人眼前。这里采用的是拟人化手法。全诗援理入景,景理交融,极具说服力。月岩,有学者考证,在湖南道县。明代地理学家徐霞客曾写入《楚游日记》。

追求完美无缺,这是人的本性;但现实生活中却很难做到,绝大

[①] 刘立雪:元代诗人。生卒年不详。

多数情况下,只是一种理想。正如苏轼词中所说:"月有阴晴圆缺,人有悲欢离合,此事古难全。"而且,美学中存在一种"不足而美"的现象;有的智者甚至会主动"求阙",晚清名臣曾国藩就给自己的书房取名"求阙斋"。阙者,空缺、亏损、未满、不足也。他说:"尝观《易》(丰卦)之道,察盈虚消息之理,而知人不可无缺陷也。日中则昃,月盈则亏,天有孤虚,地阙东南,未有常全而不缺者。"他在一生中最兴旺之际,可说是"鲜花着锦,烈火烹油"的鼎盛时期,给其九弟国荃写信,说:"平日最好昔人'花未全开月未圆'(北宋蔡襄诗句)七字,以为惜福之道、保泰之法,莫精于此。"

  但是,这种认识并未被世人普遍接受。清代学者褚人获《坚瓠首集》记载:"会稽天依寺有半月泉。泉隐岩下,虽月圆满,池中只见其半,最为妙处。有僧凿开岩名'满月',殊可笑。杨升庵(明代著名学者)因题一绝云:'磨墨浓填蝉翅帖,开半月岩为满月。富翁漆却断纹琴,老僧削圆方竹节。'"这里列举了四种出于无知而做的大煞风景的蠢事,俗僧凿岩为其一种。他的做法之所以"殊可笑",是因其只知圆满为美,而不懂得"断崖吐月,才出半规"(宋人吕祖谦语)的残缺之美,给予人的启示会更深刻,更能发人深省。

公道自在人心

贾鲁治河

佚名

贾鲁治黄河,恩多怨亦多。
百年千载后,恩在怨销磨。

这是一首题壁诗。

诗中的贾鲁为元代名臣,历任东平路儒学教授、户部主事、中书省检校官、行都水官,是一位著名的治水专家。史载,元至正四年,黄河于白茅口(在今山东曹县境内)决口,泛滥达七年之久,"平地水深两丈,千里蒙害,浸城郭,飘室庐,坏禾稼",沿河民众背井离乡,卖儿鬻女,哀鸿遍野,景况极其凄惨。元顺帝遂任命贾鲁为都水监,总管治河防务。到任后,贾鲁沿河道往返数千里,考察地形,并绘制地图,于至正十一年四月,督率军民十七万,采取疏、浚、塞并举方略,奋战七个月,引河复归故道,"民百世受其益"。

整个工程告竣后,贾鲁被破格提升为荣禄大夫集贤殿大学士。明代杰出的水利专家潘季驯,予以高度评价:"鲁之治河,亦是修复故道,黄河自此不复北徙,盖天假此人,为我国家开创运道。"

但是,当时由于险情严峻,工期急迫,工程艰巨、浩大,贾鲁在督责工役方面,十分酷刻,引起许多怨愤;一些官员也借机发难,弹劾他劳民伤众,滋生变乱。如果贾鲁当时缺乏应有的胆识,迁就一时浮议,就无法完成这项利国利民的千秋伟业。有人就此在贾鲁故宅壁间题写了这首诗,发抒感慨,并从中引申出一番深刻的哲理。明代学者蒋仲舒在引述此诗的同时,对贾鲁有所评说:"当时或以亟疾刻深,招致民怨,而其御灾捍患,则后世亦有公论。"(见《尧山堂外记》)

"后世公论"四字,道出了问题的实质。公道,站在时间老人的门口。功过得失,恩怨是非,一时可能还看不清楚,需要时间检验。——历史,无情而有情,严明而公正。